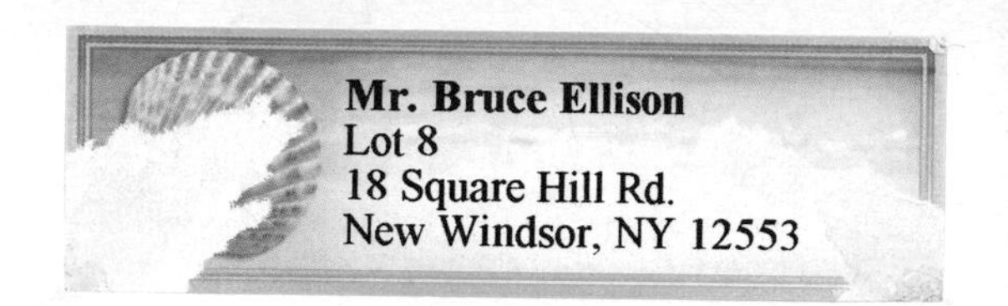

RODIN

PAR

BERNARD CHAMPIGNEULLE

Photographies de René-Jacques

SOMOGY
ÉDITIONS
D'ART

En couverture : *Éternel printemps*, terre dans l'atelier de Rodin. 22 x 18,5 cm.
Musée Rodin, Paris, inv. Ph. 958.
Photographie Charles Bodmer, © Musée Rodin.

Maquette : Chantal Charbonnot

Conception de la couverture : Ariane Aubert

Photographies : René-Jacques

ISBN 2-85056-222-X
(ISBN 2-85056-141-X pour l'édition précédente, 1980)

Sommaire

Préface

Pourquoi cette reproduction, trouvée par hasard dans une pile de vieux journaux, m'a-t-elle à ce point fasciné? J'avais quatorze ou quinze ans. L'art n'entrait guère dans les préoccupations du milieu de mon enfance. En classe, les cours de dessin où nous alignions nos chevalets en ribambelles étaient surtout prétexte à de bruyants chahuts. De Rodin, *qui était alors à la fin de sa carrière, j'ignorais même le nom.*

Ce visage lumineux et paisible, jaillissant d'un bloc de marbre rugueux, à peine dégrossi, je n'en pouvais détacher mes yeux. La légende indiquait : Rodin - Buste. *Si je ne m'étais jamais encore attardé à une œuvre d'art, si aucune ne m'avait lancé son mystérieux appel, je lisais beaucoup de livres, et, en mon for intérieur, j'avais baptisé cette sculpture : « l'esprit dégagé de la matière ».*

Un album en langue allemande, que je pus acheter peu après, m'apprit que c'était la Pensée, *l'un des ouvrages les plus connus de ce maître illustre. J'avais découpé l'image, l'avais fixée au-dessus de ma table de travail et, quand mon esprit s'égarait par-delà mes insupportables thèmes latins, mes yeux rencontraient ceux de* la Pensée. *Je dois à la vérité de dire qu'elle ne m'était d'aucun réconfort intellectuel et m'aidait seulement à rêvasser.*

Je ne crois pas qu'elle se place au sommet de l'art de Rodin, *mais cette sculpture m'apprit qu'une œuvre d'art pouvait être chargée d'un curieux pouvoir qui nous permet d'échanger ce que nous lui prêtons contre ce qu'elle nous donne, du papier contre de l'or.*

Puisque, dans son silence, celle-ci me parlait avec tant de ferveur, c'est donc qu'elle avait été conçue par un grand artiste. Je sus bientôt que cet artiste était considéré comme un génie. Ce qui me parut d'autant plus étonnant que je me figurais qu'un génie ne pouvait être qu'un personnage historique.

Une simple photographie peut difficilement révéler l'art du sculpteur, ces mille rencontres de l'objet et de la lumière, celle-ci m'introduisait cependant dans un monde inconnu, ce monde des arts qui n'a cessé d'exciter mes curiosités et qui m'a invité à consacrer à son étude la plus grande part de ma vie.

Ma reconnaissance envers Rodin, *voici qu'à plus d'un demi-siècle de distance l'occasion m'est donnée de la manifester. Les joies qu'il m'a procurées n'ont jamais failli. Que son « ombre » me pardonne si, ne pouvant jamais faire taire mon esprit critique, il m'arrive d'être réticent ou parfois même sévère envers lui.*

B. C.

L'écolier taciturne

Les quartiers des villes sont comme les hommes. Ils naissent, grandissent, s'embellissent ou s'enlaidissent, changent leurs parures, vieillissent sans que leur personnalité soit pour autant abolie. Un même esprit continue d'y vivre. Le quartier Mouffetard, où Rodin vit le jour, si bigarré, si ouvert aux turbulences populaires, nous situe dans nos origines parisiennes. Son épine dorsale, cette longue et mince rue Mouffetard qui s'étend de la place de la Contrescarpe à Saint-Médard, c'est la vieille route d'Italie, la voie romaine qui menait à Lutèce, parcourue par les légions et par les patriciens bâtisseurs de notre Montagne Sainte-Geneviève. Le faubourg Saint-Médard fut mieux qu'un village; c'était la paroisse la plus étendue des entours de Paris. On y a toujours trouvé des marchés. Il vit de cette alacrité quotidienne, de ce piétinement de la foule ménagère qui est le ferment le plus effervescent du pavé parisien. Où voisinaient le savetier et l'aubergiste, le rôtisseur et le « chaircuitier », des étals éclatants de bruits et de couleurs débordent sur la chaussée.

C'est à côté, rue de l'Arbalète, le 14 novembre 1840, que naquit Auguste Rodin.

Ne cherchez pas de plaque de marbre sur sa maison. Celle-ci a disparu[1].

Lorsque l'enfant fut déclaré à la mairie, l'un des témoins était architecte, l'autre boulanger. Deux mois plus tard ce furent un garçon de course et une femme de chambre qui signèrent sur le registre des baptêmes à l'église Saint-Médard.

Le père d'Auguste Rodin, Jean-Baptiste, était monté à Paris avec la foule des provinciaux qui, vers 1830, avaient été aspirés par la première poussée industrielle. Né à Yvetot, il appartenait à une famille de marchands de cotonnades qui, en un temps où l'on se déplaçait peu, allaient proposer leurs marchandises à la clientèle des environs. Il avait passé quelques années chez les frères de la Doctrine chrétienne, où il devint même frère convers — c'est-à-dire non enseignant et voué aux besognes matérielles — avant de venir à Paris et d'entrer comme fonctionnaire subalterne à la Préfecture de Police.

Cet homme, qui n'eut d'autre ambition que de mener sans heurt une vie de famille honorable, travailla toute son existence dans cette administration. D'un premier mariage il eut une fille nommée Clotilde, qui tourna mal. Agé de trente-quatre ans il se remaria avec une jeune fille venue de l'autre bout de la France, Marie Cheffer — un nom bien lorrain — qui était d'une famille de cultivateurs mosellans de vieille tradition.

Elle était née à Laundorff, dans la Lorraine de langue allemande, où se parlait, en campagne, un patois germanique. C'était une femme vertueuse, dévouée à la tâche, mais rude et d'aspect plutôt revêche.

Le ménage eut d'abord une fille, nommée Maria. Deux ans après naissait Auguste Rodin.

Les liens entre les familles alliées sont étroits. C'est ainsi que des neveux mosellans logent chez les Rodin quand ils viennent chercher fortune à Paris.

L'un d'eux, Auguste Cheffer, épousera sa cousine germaine, Anna Rodin. Il devint « graveur-héraldiste ». Un autre fut typographe et un autre dessinateur industriel.

La famille Rodin représente un exemple assez répandu au milieu du XIXe siècle d'une classe intermédiaire entre le prolétariat et la petite bourgeoisie. Les bureaucrates, comme Jean-Baptiste Rodin, travaillent dix heures par jour. Les artisans mesurent leur journée sur la course du soleil. Les repas sont frugaux : le pain en est l'aliment de base. Seuls, les hommes ont droit à la bouteille de vin. Il faut compter cent à cent cinquante francs pour le loyer.

Le père Rodin doit vivre et faire vivre sa femme et ses deux enfants avec son salaire de dix-huit cents francs par an. Les distractions? Une promenade hebdomadaire au Jardin des Plantes tout proche. Et, par les chaudes journées d'été, munis des sacs de provisions, on va prendre le chemin de fer jusqu'au bois de Meudon.

Les familles de condition modeste reçoivent comme de grandes joies les petites joies de l'existence. Rares sont ceux qui ne s'adaptent pas avec sérénité au destin qui leur est tracé. On ignore encore les incitations publicitaires qui créent une acrimonieuse infériorité chez ceux qui n'ont pas le superflu. On ne cherche point à suivre les modes, à copier les vedettes du jour, à voyager au loin, à s'entourer d'objets inutiles. Le progrès matériel n'a pas multiplié les désirs et le confort a peu changé depuis le Moyen Age. Le lit conjugal, ceux des enfants, la table et le buffet, le fauteuil du père de famille, c'est le suffisant.

Dans un milieu comme celui-là, façonné par des siècles de christianisme, on ne barguigne pas avec la morale et la religion. La prière du soir est récitée en commun. Chaque dimanche toute la famille Rodin se rend à la messe à Saint-Médard. Clotilde, la fille du premier mariage, lorsqu'on apprit ses fautes, son nom ne fut plus prononcé. Etait-ce une prostituée? Il est fort possible que de simples aventures de jeunesse aient suffi à la rejeter hors du clan familial.

Au contraire de Maria, son aînée, qui travaille très bien, le petit Auguste ne donne pas grande satisfaction à ses parents. Il va en classe aux Ecoles chrétiennes de la rue du Val-de-Grâce mais, malgré l'efficacité bien connue des « frères » pour l'enseignement primaire, il n'arrive qu'à grand-peine à lire et à écrire. A neuf ans, on l'envoie à son oncle Alexandre, le frère de son père. Celui-ci, l'intellectuel de la famille, dirige une pension de garçons à Beauvais.

L'enfant va connaître au collège la discipline qui est à peu près celle des casernes ou des prisons. Elevé dans ce milieu pauvre mais de haute dignité — qu'il qualifiera lui-même plus tard « d'ancien régime » — il y acquit des habitudes de politesse, de douceur et de courtoisie qui ne l'abandonneront jamais. La grossièreté de ses camarades le heurte. On le voit silencieux et solitaire dans un coin de la cour de récréation. Il craint les promiscuités du dortoir. Quant aux études, il fait vraiment figure de retardé. Ses dictées sont pleines d'énormes fautes d'orthographe. Il n'a jamais pu, comme les autres, apprendre le latin. Il est nul en arithmétique. Il n'est attiré que par le dessin. Il désespère ses éducateurs et passe le meilleur de son temps à copier au crayon les images qui tombent sous ses yeux.

D'aussi loin qu'il lui souvienne, il a dessiné. L'épicier chez qui Mme Rodin se servait enveloppait ses pruneaux dans des cornets de papier faits avec des pages de magazines illustrés. Ce furent ses premiers modèles.

Lorsque l'élève Rodin atteint ses seize ans, son oncle estime qu'il n'y a décidément rien à en faire et le renvoie à Paris.

Il retrouve ses parents, avec quelle joie! Et surtout sa chère Maria, si tendre, si gaie, qui illumine la maison et l'aide à oublier les vilaines petites brutes de Beauvais.

Un corpulent personnage en redingote, la barbe d'argent superbement calamistrée, majestueux comme un dieu de l'Olympe, au milieu d'une cour de disciples, de secrétaires, d'amis illustres et d'amies empanachées, gloires mondaines des salons ou de la scène, c'est l'image que nous ont laissée de Rodin les photographes du début de ce siècle. Quel contraste avec le gamin roux, trapu, buté, rustaud, dont la force musculaire paraît avoir tari celle de l'esprit et qui sort de l'école presque inculte.

Son père, homme sans envergure mais de bon sens, se rend compte qu'il ne pourra jamais entrer, comme lui, dans les bureaux, qu'il ne faut pas avoir l'ambition d'en faire un fonctionnaire. Auguste n'écrit qu'avec difficulté et sait à peine compter. Alors, un charpentier? Un tonnelier? Dans tous les cas, il est temps qu'il ne soit plus à charge, qu'il apprenne à gagner sa vie. Dans quel corps de métier le mettre en apprentissage ? C'est l'âge où il faut décider.

Dommage que ce soit la fille qui réussisse dans ses études, elle qui est destinée à choisir un bon mari qui gagnera seul la vie du ménage.

Mais Auguste a un excellent défaut, il est incroyablement têtu. Il a son idée. Il n'en démord point. Il veut faire du dessin. C'est la seule chose qui l'intéresse.

Du dessin! Est-ce sérieux? Est-ce un métier? Que serait son avenir? La vie mal assurée. La bohème. La perdition.

Le jeune garçon fait preuve d'une opiniâtreté intraitable. Et il trouve en sa sœur, qui a seize ans, qui gagne sa vie, qui est écoutée dans la famille, une alliée.

Au cours de ses pauvres études son seul plaisir n'était-il pas de copier une gravure, de dessiner un camarade? Et ses cousins Cheffer ne les voit-on pas, d'accord avec leurs parents, étudier le dessin pour se former à un métier d'art? Le père réfléchit. A-t-il le droit de contrarier une vocation aussi exclusive? Un métier pratiqué contre son gré, ne voudrait-il pas aussitôt l'abandonner?

Après tout, pourquoi ne pas essayer? A Paris, comme dans d'autres villes, il y a une « Ecole gratuite de dessin ». Depuis le règne de Louis XVI, qui l'a fondée, elle occupe les beaux bâtiments de l'ancienne école de chirurgie, au 5 de la rue de l'Ecole-de-Médecine. (Elle y restera jusqu'à ce qu'elle soit remplacée, en 1875, par l'Ecole des arts décoratifs — aujourd'hui rue d'Ulm). Quinze cents élèves y reçoivent une formation dont tout le monde reconnaît le mérite. Elle peut conduire à des situations sérieuses et lucratives. Le père Rodin se laisse fléchir.

Quand notre petit Auguste pénètre sous la coupole de la rotonde où sont assemblés les élèves de première année, il est fort intimidé. Il se sent gauche sur ces bancs où se coudoient des garçons dont beaucoup sont délurés et la plupart beaucoup plus instruits que lui. Il a honte de sa vareuse de gros drap gris.

Pendant des semaines, c'est l'ABC. On copie inlassablement des œuvres de maîtres. Les méthodes n'ont pas beaucoup changé depuis la fondation. Les professeurs distribuent aux élèves des gravures de tableaux du XVIIIe siècle et font les corrections. Plus tard on passera aux bustes de plâtre, aux chapiteaux et ornements d'après l'antique.

La plupart des élèves de cette institution — que l'on nomme la « Petite Ecole » pour la différencier de la grande « Ecole des beaux-arts » — y vont chercher une formation qui leur permettra d'entrer au service de graveurs ornemanistes, d'imagiers, d'orfèvres, de bijoutiers, de fabricants de tissus, de brodeurs, de dentelliers, etc. Il y a aussi l'atelier des sculpteurs où est pratiquée la sculpture sur bois pour le mobilier et le décor intérieur des châteaux et des églises, et la sculpture sur pierre destinée à la décoration des monuments publics ou des immeubles privés. Comme les autres, les sculpteurs commencent par le dessin, qu'ils doivent pratiquer parfaitement avant de passer au modelage.

Un jour, Auguste s'aventure dans la maison, ouvre une porte, et découvre des élèves qui s'appliquent à modeler de la glaise, à construire des formes et à mouler un plâtre.

Il s'approche. Quelle révélation! « Pour la première fois je vis de la terre glaise, écrira-t-il; il me sembla que je montais au ciel. Je fis des morceaux séparés, des bras, des têtes, ou des pieds; puis j'attaquai la figure tout entière. J'ai compris l'ensemble d'un coup. Je faisais cela avec autant de facilité qu'aujourd'hui. J'étais dans le ravissement. »

C'est décidé. Il sera sculpteur. Et dès lors sa vie n'aura plus d'autre sens. Il travaillera toujours avec le même acharnement passionné.

Dès l'aube, il se rend chez un vieux peintre, nommé Lauset, à qui sa mère l'a présenté. Il apprend avec lui les rudiments de la peinture à l'huile en copiant des tableaux. Puis il se précipite à son école qui ouvre à huit heures en été, à neuf heures en hiver. A midi, les corrections sont terminées. Il passe le pont des Arts en dévorant le quignon de pain et le morceau de sucre que sa mère a glissés dans la poche de sa vareuse. Il franchit la porte du musée du Louvre — dont l'entrée est gratuite. Il regarde tout, s'intéresse à tout, et remplit son carnet de dessins. Il s'attarde devant les sculptures antiques ou modernes, choisissant surtout parmi celles-ci des œuvres de

Bouchardon, de Houdon et de Clodion. Parfois, il pousse jusqu'au cabinet des estampes de la Bibliothèque impériale, où il se plonge dans les albums de gravures, ceux du moins que l'on veut bien confier à ce garçon mal vêtu. Il se dirige alors à grands pas, traversant tout Paris, vers la Manufacture des Gobelins où ont lieu des cours qui permettent de faire des études de nu. Soixante élèves s'y retrouvent chaque soir.

Ces travaux, ces longues marches à travers la ville — il n'est pas question de prendre l'omnibus — ne tuent point son ardeur. Chez lui, la nuit, sous la lampe, malgré les remontrances de sa mère, il s'attarde à dessiner de mémoire — exercice que ses maîtres lui recommandent.

Quels maîtres ? Il a la chance d'être dirigé par un professeur exceptionnel : Lecoq de Boisbaudran, qui deviendra dix ans plus tard directeur de l'Ecole. Celui-ci a discerné en lui les dons qui allaient s'épanouir. Et Rodin lui en conservera toute sa vie de la reconnaissance. Lorsque le livre de Lecoq sur *l'Education de la mémoire pittoresque* sera réédité, en 1913, il enverra, à la demande de l'éditeur, une lettre préface où il dit ce qu'il lui a dû dans son jeune âge et ce qu'il lui doit toujours :

« Malgré l'originalité de son enseignement il gardait la tradition et son atelier était, on pourrait dire, un atelier du XVIIIe.

A ce moment Legros et moi, et les autres jeunes gens ne comprenions pas comme je le comprends maintenant la chance que nous avions eue de tomber sous la main d'un tel professeur. La plus grande part de ce qu'il m'a appris me reste encore. »

La Petite Ecole avait excellente réputation. Elle eut des maîtres illustres qui appréciaient davantage ses méthodes que celles de l'enseignement académique. Carpeaux, après son séjour à Rome, avait brigué le poste de professeur adjoint qui lui fut accordé. Ainsi se trouva-t-il amené à corriger les études des élèves de la classe où se trouvait Rodin[2]. Ce fut plus tard pour celui-ci un grand regret, un grand remords que d'avoir laissé passer une telle aubaine sans en avoir tiré profit, de n'avoir su apprécier à sa valeur l'enseignement de ce jeune professeur dont il ne se doutait absolument pas qu'il deviendrait le seul sculpteur de son temps qu'il considérait vraiment comme un maître.

Les artistes de la génération de Rodin avaient été formés pour une grande part à la Petite Ecole. Ce fut le cas de Dalou, d'abord son ami, puis qui le jalousera et se brouillera avec lui, du graveur Alphonse Legros, le dévoué, le fidèle, qui fera le portrait de son camarade à l'âge de quarante-deux ans. Les peintres Lhermitte, Cazin, Fantin-Latour furent également ses condisciples.

Ses années de Petite Ecole terminées, Auguste veut poursuivre ses études. Jusqu'ici n'a-t-il pas fait que du solfège? C'est à l'Ecole des beaux-arts — du moins le croit-il — qu'il doit acquérir les grandes lois de la composition.

Le père est inquiet. Il avait espéré que l'Ecole de dessin mettrait un métier entre les mains de son fils et voici qu'après trois ans d'études il est maintenant question de parcourir une route encore plus longue et difficile pour se diriger vers une carrière incertaine.

Les pères sont souvent portés à minimiser les qualités ou les talents de leurs enfants. Jean-Baptiste Rodin a les pieds sur la terre. Il compare les rêves de son fils aux solides qualités de sa fille.

Mais voici que Maria intercède avec sa douceur et sa pénétration coutumières. Auguste n'est-il pas un travailleur acharné, passionné pour son art, et vraisemblablement doué? Bien des sculpteurs réussissent. Sans ambitionner la gloire d'un Hippolyte Maindron, qui reçoit les grosses commandes et triomphe dans les Salons, rien n'autorise à prédire qu'avec une vocation si affirmée son frère n'accomplira pas, en exerçant le métier de sculpteur, une honorable carrière.

La mère approuve. Le père commence à se laisser fléchir. Mais il ne veut pourtant point prendre une décision qui engage tant l'avenir sans avoir l'avis d'une autorité en la matière.

On écrit à l'oncle de Beauvais, on s'informe près des rares relations. Maria fait des démarches. On obtient que le garçon soit présenté à un maître incontesté. Et ce maître n'est autre que Maindron.

Auguste a rangé ses cartons et les plâtres qu'il considère parmi les meilleurs dans une de ces charrettes à bras que l'on trouve à

RODIN PAR LUI-MÊME

louer dans tous les coins de Paris. Il traîne son chargement jusqu'à la porte du maître. Un valet de chambre l'introduit dans un vaste atelier. L'auteur de *la Velléda* du Luxembourg, âgé de soixante-six ans, est au sommet de sa carrière. Il est d'esprit libre, teinté de romantisme. Il ne lui faut pas longtemps pour examiner les pièces à conviction. « Il y a là du talent. Oui, du talent qu'il faudra cultiver à l'Ecole des beaux-arts. »

En rentrant chez lui, le jeune artiste se sent danser sur le pavé.

Il voit son avenir se dessiner. Les encouragements de ses maîtres, l'estime de ses camarades qui envient sa dextérité, la confiance en

PORTRAIT D'ABEL POULAIN

soi, fortifiée par le jugement de Maindron, lui font aborder l'Ecole des beaux-arts avec allégresse. C'est en pleine forme qu'il se présente au concours.

Que se passe-t-il? A la surprise générale le jury l'a refusé. Il se remet au travail avec plus d'ardeur. Nouvel échec. A une troisième épreuve il échoue une fois de plus.

Il n'en comprend pas les raisons. Mais il comprend que la porte de l'Ecole lui est fermée à tout jamais.

Les musées de la rue de Varenne et de Philadelphie conservent des dessins, des études de nu, qui datent de cette époque. Devant ces témoins, on peut se demander comment des examinateurs un peu avertis ont pu se tromper à ce point-là. Ce jugement affirme la décadence et le manque de discernement d'une institution dont le rôle est justement de discerner.

A distance nous pouvons mieux nous expliquer les causes de cette suite invraisemblable d'insuccès. L'Ecole est le conservatoire d'un esprit académique qui remonte à la souveraineté de David sur les arts. Entre les principes que, par le truchement du maître, elle croit tenir de l'Antiquité gréco-romaine et qu'elle estime devoir perpétuer, entre la systématique davidienne et le « naturalisme » de Rodin il y a antinomie profonde. Dans ses dessins, dans son modelage, les professeurs, qui croyaient posséder les tables de la loi, n'ont pas retrouvé le conformisme régnant. Ce serait peut-être faire trop confiance à l'esprit de ces pédagogues que de penser qu'ils avaient deviné, à travers ses travaux de concours, celui qui allait brandir le drapeau de la rébellion contre l'académisme et contre ses représentants de l'Institut momifiés et ligotés par leurs formulaires. Mais ils avaient tout de suite reconnu que Rodin n'était pas des leurs.

Va-t-il être affecté par ces insuccès — dont il sait fort bien qu'ils sont immérités ? Il semble que sa résolution n'en soit que devenue plus farouche. Pas question un instant d'abandonner. Sa carrière, sans doute, sera plus rude encore. Il l'affrontera avec cette obstination qui ne l'abandonnera jamais.

Avant tout, il lui faut gagner sa vie. Son père n'a pas le désir, ni les moyens de le prendre en charge.

Pendant vingt ans Auguste Rodin cherchera l'embauche. Vingt ans d'instabilité matérielle, de vie ballottée, de travaux sans gloire et presque sans profit. Payé à la semaine, sans engagement, il changera de patrons, changera d'ateliers, toujours au bord de la misère. Mais le travail est sa joie, une joie qui ne trompe pas. Il ne se plaindra jamais. Une foi demi-consciente en son art l'illumine. Ce n'est pas un ambitieux, encore moins un envieux. Et dans ses rêves il ne peut guère imaginer l'éblouissante carrière de sa maturité. Son tempérament, son éducation ne le portent point vers ces beaux songes d'avenir qui hantent l'adolescence. Il croit au métier et à sa suprématie. Et au faîte de ses succès il répétera qu'« il ne faut pas chercher un effet, mais travailler consciencieusement à bien faire ».

Pour lors il besogne chez des décorateurs et des entrepreneurs de travaux publics. Tour à tour, selon la demande, il sera mouleur ou praticien. Il travaillera dans tous les coins de Paris, cherchant toujours à apprendre quelque chose, mettant à profit la rencontre d'un compagnon habile ou d'un vieil artisan qui lui enseignera quelques bonnes recettes de métier. Il répète des ornements en série, répare des monuments publics et accomplit sans lassitude des tâches insipides car il acquiert ainsi, il n'en doute pas, une maîtrise qui lui permettra plus tard de tout oser sans difficultés.

Ses parents avaient quitté la rue de l'Arbalète pour s'installer dans une vieille maison de la rue des Fossés-Saint-Jacques, à côté de la petite place de l'Estrapade. Quant à lui, toujours lourdaud, mais frotté à des camarades plus brillants, il se rend compte de ses ignorances. Il apprend à lire — c'est-à-dire qu'il commence à comprendre ce qu'il lit. Il fréquente des bibliothèques populaires, emprunte des livres. Et il découvre tout un monde insoupçonné. D'emblée il est allé vers les poètes, et les plus grands : Lamartine, Hugo. Et Michelet, le poète de l'histoire, qui lui ouvre les yeux sur le monde, sera son dieu.

Il ne néglige aucune occasion d'apprendre. Ayant rencontré le fils de Barye, il peut suivre les cours du maître au Muséum. Etait-ce vraiment des cours ? Barye professait « l'enseignement muet ». Voici ce qu'en disait Rodin en évoquant des souvenirs de jeunesse : « Nous nous trouvions mal à l'aise au milieu d'amateurs et de femmes, et avions peur, je crois, des parquets cirés de la bibliothèque où le cours avait lieu. Au Jardin des Plantes, en cherchant bien, nous dénichâmes au sous-sol, une sorte de cave dont les murailles suintaient d'humidité, et nous nous installâmes avec délices. Un pieu fiché à terre soutenait une planche qui nous servait de selle, ça ne tournait pas, mais c'est nous qui tournions autour de notre selle, et autour de ce que nous copiions. On eut la bonté de nous y tolérer et de nous laisser prendre dans les amphithéâtres des morceaux d'animaux,

JEAN-PAUL LAURENS. PORTRAIT DE JEAN-BAPTISTE RODIN

des pattes de lion, etc. Nous travaillions comme des acharnés, nous avions des allures de fauves. Le grand Barye venait nous voir. Il regardait ce que nous avions fait et s'en allait, la plupart du temps, sans avoir rien dit [3]. »

Les catalogues officiels des Salons persisteront longtemps à consigner que Rodin était « élève de Barye et de Carrier-Belleuse ». En ce qui concerne Barye, c'était sans fondement. Rodin, pas plus que les autres, n'avait été influencé par un enseignement inexistant. Ce n'est que beaucoup plus tard qu'il témoignera de son admiration

BUSTE DE JEAN-BAPTISTE RODIN

pour le vigoureux sculpteur de fauves. Quant à Carrier-Belleuse, nous en reparlerons plus loin.

Malgré son labeur de tâcheron,. il trouvait toujours du temps pour travailler librement. Il dessinait des plantes, des arbres, des chevaux. Un buste de son père, traité à l'antique, témoigne qu'à dix-neuf ans, malgré son travail resté scolaire, il savait noblement exécuter le portrait d'un être cher.

C'est alors que s'inscrit dans la vie de Rodin un drame qui l'atteint si profondément qu'il en restera longtemps anéanti. Sa sœur Maria avait apporté à sa jeunesse, dans cet austère milieu familial, l'appui de sa tendresse et de son cœur généreux. Cette fille intelligente et douce ne manquait pas de caractère. Son visage empreint de gravité était illuminé par des yeux bleus dont la transparence réfléchissait la franchise et la mélancolie. Par son application, par sa maturité d'esprit, elle avait acquis, encore adolescente, une sorte d'indépendance admise par sa famille. Elle était entrée dans une maison d'objets de piété où elle gagnait sa vie. Les sœurs de la Doctrine, qui l'avaient instruite dès son jeune âge, suivaient cette enfant douée dont elles espéraient faire un jour une enseignante.

Survint alors la classique aventure. Un jeune peintre ami de son frère fréquentait la maison. Il fit le portrait d'Auguste et celui de Maria. Quels propos furent-ils échangés ? Que s'est-il passé dans le cœur de cette âme secrète et passionnée ? Il arriva que le jeune homme espaça ses visites, ne reparut plus, et qu'un beau jour il annonça son mariage avec une femme qu'il aimait.

Ce fut la catastrophe. Tous les projets, tous les espoirs, tout l'avenir chimérique que Maria avait échafaudés s'effondraient brutalement. On s'inquiétait pour sa raison. Mais les « bonnes sœurs » étaient là pour l'accueillir. Et Dieu pour la consoler. Après deux ans de noviciat, elle fut mal opérée d'une péritonite et retourna dans son foyer pour y mourir.

Son frère, qui l'avait assistée dans ses derniers jours, fut la proie d'un terrible désarroi. Il restait hébété dans la maison endeuillée. Les instruments de travail qu'il avait maniés jusqu'alors sans relâche lui tombaient des mains. Ses œuvres commencées restaient à l'abandon.

Il avait alors vingt-deux ans, un âge où les ressorts de la volonté sont assez flexibles pour ne pas se briser. Mais il était tombé dans un abîme dont nul conseil, nul propos ne pouvait le tirer. Il se murait dans sa douleur. Tout était à craindre de ce jeune désespéré.

Le curé de Saint-Jacques, ayant épuisé les consolations chrétiennes d'usage, eut alors l'idée de le mettre en relation avec un homme qui avait une réputation de sauveteur d'âmes, et dont on connut plus tard qu'il était un saint.

Le père Eymard, afin de poursuivre son apostolat dans le quartier, avait, quelques mois auparavant, acquis au 68 de la rue du Faubourg-Saint-Jacques, c'est-à-dire à peu près à la hauteur du boulevard Arago, une vieille maison délabrée dont le prix avait été avancé à fonds perdu par une famille charitable. Il y avait une chapelle en bon état ; c'était l'essentiel pour le père Eymard et la petite communauté de religieux qu'il avait fondée : les prêtres du Saint-Sacrement, voués à l'adoration perpétuelle, c'est-à-dire, jour et nuit, par relais.

Le père s'était mis dans la tête de catéchiser les bandes de gamins débraillés et chahuteurs qui traînaient dans les rues en dehors des heures de travail. Des ateliers s'étaient multipliés à cette lisière de Paris en même temps que les affreux taudis de la Butte-aux-Cailles ou de la Fosse-aux-Lions où logeaient les familles ouvrières. Attirer, amadouer ces jeunes, qui n'avaient pour la plupart jamais fréquenté l'école, n'avaient jamais entendu parler de morale, encore moins de religion et pour qui la soutane était objet de dérision, la tâche paraissait insurmontable. Par sa bienveillance et son ascendant le père, dont l'allure physique était pourtant rude, réussit à apprivoiser les plus mauvais sujets, puis à les éduquer.

C'est alors que Rodin entre en rapport avec lui. On ignore quels furent les chemins d'une démarche spirituelle si imprévue. Ni le père Eymard, ni Auguste Rodin n'ont laissé de confidences. Mais toujours est-il que, quelques semaines après, le jeune homme était novice de la congrégation sous le nom de frère Augustin.

Ainsi le même cycle se renouvelait à peu de distance chez le frère et la sœur : désespoir par rupture sentimentale et refuge dans la vie religieuse.

Dans leur petite congrégation naissante, les prêtres du Saint-Sacrement ne sont encore qu'une demi-douzaine. (Ils sont environ seize

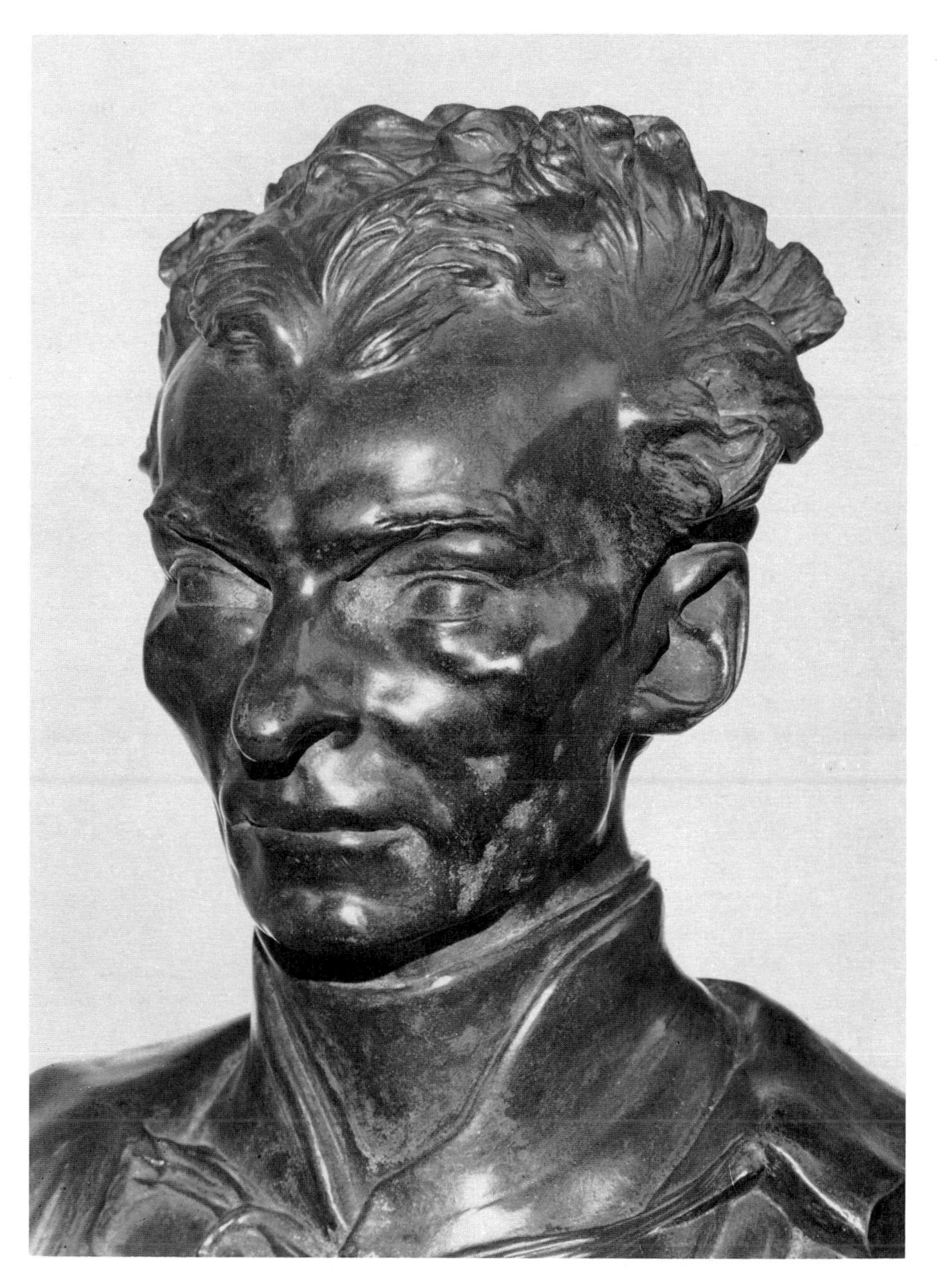

LE BIENHEUREUX PÈRE PIERRE-JULIEN EYMARD

cents aujourd'hui à travers le monde.) A leur contact et dans le rayonnement spirituel du couvent, Rodin retrouve ses forces morales et son amour du travail. On lui réserve un appentis au fond du petit jardin où, dans les moments libres accordés par la règle, il se retire pour sculpter. Le père Eymard a remarqué l'ardeur de son novice et peut-être — c'est moins sûr — son talent. Il sait que les actes de désespoir ne déterminent pas toujours de solides vocations. Lorsque Rodin exécute son buste, il a l'occasion de s'entretenir longuement avec lui. Par ses conseils, il lui fait comprendre qu'il n'est sans doute pas destiné à la vie conventuelle. Sa vocation profonde n'est-ce pas le métier qu'il poursuit avec tant de passion? Deux années ne se sont pas écoulées depuis son entrée au couvent que Rodin le quitte définitivement.

Un témoignage nous reste de cette période de sa vie : le buste du père Eymard, sa première grande œuvre, solide, vivante, et où se lit la vénération inaltérable que le novice porte à son supérieur qui, à un moment de son existence où il n'était qu'une épave, l'avait tiré vers la lumière.

Après l'avoir sauvé du naufrage de l'âme, le père Eymard l'avait aidé à retrouver la vie, sa vie, celle d'un homme voué totalement à la sculpture. « Je suis entré en sculpture, disait Marcel Gimond, comme on entre en religion. » Ces mots pourraient s'appliquer à Rodin.

En conclusion de ce qui fut plus qu'un épisode dans la vie de l'artiste, rappelons que le père Eymard fut béatifié par Pie XI et canonisé en 1962 par Jean XXIII.

Les temps difficiles

Rodin reprend son existence ouvrière. Il est difficile d'identifier ses travaux anonymes dont beaucoup, d'ailleurs, ont été détruits. Leur auteur, qui n'en était pas très fier, ne s'est pas montré loquace à leur sujet. On sait pourtant qu'il a participé au foyer du théâtre de la Gaîté et au théâtre des Gobelins. Celui-ci, transformé en cinéma bien entendu, possède encore son étroite façade décorée de déesses volantes d'un style Napoléon III parfaitement banal.

C'est en travaillant à la décoration de ce petit théâtre de quartier que Rodin rencontre une jeune fille de vingt ans employée dans une manufacture de confection voisine. A la vue de ce visage frais, de ce regard posé sur lui avec une simple gentillesse, Rodin sent fondre sa timidité. C'est l'aventure. D'aucuns disent sa première aventure. Elle durera cinquante-deux ans.

Rose Beuret est née en Haute-Marne, dans un petit village près de Joinville, situé au bord de la Marne. Ses parents sont cultivateurs. Elle vient d'arriver à Paris.

MIGNON

Ils s'aiment. On se met en ménage, chacun apportant ses toutes petites économies.

Un an plus tard naît un fils. Mais le père ne veut pas le reconnaître. Et Rose ne semble pas avoir insisté. C'est une femme docile aux volontés du maître. Le garçon se nomme donc Beuret. Et comme le père veut tout de même faire quelque chose pour lui, il lui donne son propre prénom.

Il fallut bien présenter le jeune Auguste Beuret à la famille qui n'était au courant de rien. La tante Thérèse Cheffer, d'esprit large, est chargée de préparer les voies. Rose étant déférente, fort travailleuse et d'air honnête, la chose semble avoir été acceptée sans trop de difficultés, bien que ce ménage illégitime et ce petit bâtard soient tout de même de gros affronts pour la famille. Rodin continuera à voir ses parents au moins chaque semaine, sa mère épuisée de fatigue, son père qui souffre des yeux. Chaque fois qu'il évoquera la mémoire de son père, ce sera avec émotion et respect.

Se livrer à son travail dans un logement étroit, avec une femme et un enfant, c'est plein de complications quand on est sculpteur. Aussi, lorsque Rodin peut trouver à bon compte un atelier, plus exactement une écurie, c'est une délivrance : « Oh! mon premier atelier! Je ne l'oublierai jamais; j'y ai passé de durs moments. Mes ressources ne me permettant pas de trouver mieux, je louai près des Gobelins, rue Lebrun, pour cent vingt francs par an, une écurie qui me parut suffisamment éclairée et où j'avais le recul nécessaire pour comparer la nature avec ma terre, ce qui a toujours été pour moi un principe essentiel dont je ne me suis jamais départi. L'air y filtrait de toutes parts, par les fenêtres mal closes, par les portes dont le bois avait joué; les ardoises de la toiture, usées par la vétusté ou dérangées par le vent, y établissaient un courant d'air permanent. Il y faisait un froid glacial; un puits creusé dans l'un des angles du mur, et dont l'eau était proche de la margelle y entretenait en toutes saisons une humidité pénétrante. Aujourd'hui encore, je ne comprends pas comment j'ai pu y résister !... »

Nous connaissons bien Rose, son corps et son visage, puisqu'elle fut le modèle habituel de son compagnon, tout au moins dans les premières années. C'était un beau type de paysanne, aux traits rudes et vigoureux. Sa mère était, elle aussi, d'origine lorraine. On peut se demander pourquoi Rodin, après avoir exécuté son premier buste, l'intitula *Mignon.* La facture est assez proche de Carpeaux, mais d'un Carpeaux sans sourire. Les visages de Rodin ne sourient jamais. *La Jeune Femme au chapeau fleuri,* d'après le même modèle, est d'un charme qui doit beaucoup à son élégance décorative.

Et le corps de Rose... Ici se place l'histoire de la *Bacchante* qui tourna de façon si désastreuse — ce dont Rodin ne se consola jamais. Laissons-le nous raconter l'aventure, cinquante ans après : « Le mouvement en était quelconque; il n'avait que peu d'importance pour moi. D'une part, je ne voulais pas fatiguer mon amie en la plaçant dans une pose qui lui eut été difficile de tenir longtemps; de l'autre, j'étais convaincu que pour faire bien il fallait faire « vrai ». Désirant donc me rapprocher le plus près possible de la nature jusqu'à extinction du modelé et sans ornement de mon cerveau, je choisis définitivement une pose simple dans laquelle le modelé pourrait facilement rentrer après les minutes de repos, me permettant les comparaisons indispensables à une bonne et sincère exécution.

Je pris, pour faire cette figure, près de deux années. J'avais alors vingt-quatre ans; j'étais déjà un bon sculpteur; je voyais et exécutais le rayonnement direct du modelé comme aujourd'hui; j'apportais dans le dessin des profils un scrupule absolu; j'étais si lent à les voir et à les faire! Je les recommençais dix fois, quinze fois s'il le fallait; je ne me contentais jamais d'un à peu près. Je passe toutes les difficultés d'ordre matériel que je rencontrais; tous les artistes qui ont été pauvres le comprendront.

Comme les nécessités de la vie de chaque jour me forçaient à travailler chez les autres, nous nous mettions à l'ouvrage dès l'aube; nous ne reprenions qu'à la tombée du jour, lorsque je rentrais.

Le dimanche était notre jour de fête; après une longue séance le matin et comme récompense des fatigues de la semaine, nous allions nous promener dans la banlieue parisienne. »

En vérité, peu après leur première rencontre, Rose avait souffert du caractère de son amant. Avec l'égoïsme des artistes, il ne voit en elle que son modèle; le temps qu'il passe avec elle est consacré à la sculpture et non point à l'amour. Il a horreur des effusions sentimentales et l'humble servante appliquée à ne pas lui déplaire, craignant d'être abandonnée avec cet enfant dont les cris dérangent son travail, refoule ses larmes.

Rodin est assez content d'un buste exécuté d'après un pauvre bougre du quartier surnommé Bibi. Cet étrange visage chargé de misère et de dignité, ce nez écrasé, l'énergie du modelé, c'est « beau comme l'antique » lui disent ses camarades. N'est-ce pas l'occasion de faire un envoi au Salon? Mais voici qu'un jour où il gèle à glace dans l'écurie-atelier, le buste se fend. Il n'en reste que le masque. Mais l'expression n'est-elle pas ainsi plus émouvante encore? Legros le lui affirme.

Tel n'est pas l'avis du jury. *L'Homme au nez cassé* est refusé.

A quoi bon épiloguer sur cette nouvelle défaite du jeune sculpteur devant les maîtres de l'académisme? Il pense, non sans raison, que l'œuvre présentée s'apparente aux œuvres antiques. Ce n'est pas leur antique à eux, voilà tout. *L'Homme au nez cassé*, qui fut plus tard traduit dans le marbre et coulé en bronze, reflète déjà la qualité majeure, celle qui faisait horreur au jury : une puissante personnalité.

Cette même année 1864 où Auguste avait rencontré Rose est également celle où il rencontre Carrier-Belleuse.

Dalou disait de Rodin, non sans une certaine jalousie : « Heureusement pour lui qu'il n'a pu entrer à l'Ecole des beaux-arts! » Il est peu probable que l'enseignement de l'Ecole ait brimé la personnalité de Rodin, trop forte pour ne pas faire sauter les entraves, et qu'il ait pu empêcher son génie de se déployer. La preuve? Cette collaboration étroite qu'il aura pendant cinq ans avec Carrier-Belleuse. Tout était à craindre de ce travail en commun avec un maître arrivé, de seize ans plus âgé, et un jeune élève attentif, avide d'apprendre.

Carrier-Belleuse est un artiste de goût, d'une virtuosité étourdissante qui pratique son métier comme on mène une affaire et qui exploite ses dons pour en tirer le maximum de profits. Elève émérite de David d'Angers, une *Bacchante* d'une grâce morbide l'avait mis en vedette dans un certain milieu d'artistes. Des critiques le nomment :

L'HOMME AU NEZ CASSÉ

notre nouveau Clodion. Sa main agile, son esprit industrieux et avisé l'ont conduit à diriger son atelier de la rue de La Tour d'Auvergne comme un patron son usine. Il a compris que l'art industriel est sa véritable vocation. Il emploie une vingtaine d'ouvriers qui, à quelques détails près, copient ses modèles. Il est le grand fournisseur recherché de la bourgeoisie opulente en statuettes, vases, surtouts de table, candélabres et pendules.

Entre-temps, il accepte des commandes en tous genres : religieuses, comme *le Messie* de l'église Saint-Vincent-de-Paul, mythologiques, comme *Jupiter et Hébée*, militaires, comme *la Mort de Desaix*, sans oublier les portraits sculptés des célébrités du jour, depuis George Sand et Renan, jusqu'à Hortense Schneider et Napoléon III.

Ce touche-à-tout soigne le côté artiste de son personnage : longs cheveux, large feutre, souliers à boucle, cape noire à grosse agrafe d'argent. Bref, tout le contraire de Rodin. Mais il a tout de suite reconnu l'exceptionnelle habileté du jeune artisan et la met vite à contribution. Après quelques semaines, Rodin crée des modèles à la manière du maître, modèles qui sont signés Carrier-Belleuse.

Il acquiert une situation plus stable et convenablement rémunérée[4]. C'est à lui que sont confiés les motifs de décoration les plus délicats, des figures décoratives aux portes des immeubles riches, des médaillons dans des escaliers d'apparat. Nous ne repérons plus rien de ces travaux anonymes dont il n'aimait pas parler, sinon les motifs qui ornent le faîtage du très précieux hôtel de la Païva, au 25 de l'avenue des Champs-Elysées, où Dalou sculpte, mais sous son nom, une cheminée flanquée de satyres fort admirée à l'époque.

Si ces exercices ne lui sont guère profitables, on ne saurait dire qu'ils aient desservi dans l'avenir son inspiration. Lorsque, après avoir quitté son patron il lui arrive — très fréquemment — de manquer d'argent, il continuera à fabriquer, mais pour son compte, des statuettes à la Clodion qui, n'étant pas estampillées du nom prestigieux de Carrier-Belleuse, ne trouvaient preneur qu'avec difficultés.

L'aventure inouïe de Rodin c'est qu'il soit parti de ces bibelots de luxe pour aboutir à cette espèce de formidable rocher anthropomorphe qu'est le *Balzac*.

LA JEUNE FEMME AU CHAPEAU FLEURI

Pour se rapprocher de l'atelier de Carrier-Belleuse, Rodin s'est d'abord installé à Clignancourt, puis en haut de la Butte Montmartre, dans cette villageoise rue des Saules que devaient peindre Cézanne, Van Gogh et Utrillo. Il ne fréquente certainement pas la maison voisine à l'enseigne du « Cabaret des Assassins », rendez-vous de la bohème qui va devenir célèbre dix ans plus tard à l'enseigne du « Lapin à Gill ». Il travaille douze heures par jour, boit rarement, ne fume jamais.

Nous sommes alors en 1870. La guerre éclate. Il a trente ans.

Mobilisé dans un régiment de la garde nationale, il gagne bientôt les galons de caporal. Mais un conseil de révision le réforme pour faiblesse de vue. N'imaginons pas qu'il s'en réjouisse : il a la fibre patriotique et les défaites de la France l'atteignent profondément. En outre, il n'a plus de travail : pour un sculpteur, la guerre c'est le chômage et la misère. Carrier-Belleuse est parti pour la Belgique. Comment Rodin va-t-il vivre et faire vivre sa compagne et son fils ? Et c'est l'hiver redoutable, le siège, la famine pour les pauvres.

Il prévient Carrier-Belleuse qu'il n'a plus d'obligation militaire et qu'il est sans ressources. Un courrier arrive de Bruxelles qui sauve tout. Carrier-Belleuse est chargé de la décoration du bâtiment de la Bourse de Bruxelles. Un travail d'importance, pour lequel il a recruté toute une équipe de sculpteurs belges. Il demande à Rodin de se joindre à eux.

Auguste laisse Rose et son fils. Rose est embauchée par une manufacture de vêtements militaires. Son père, qui ne quitte plus son fauteuil, devenu presque aveugle, vit de sa retraite.

En partant pour Bruxelles, Rodin ne savait pas très bien ce qu'il y allait faire, sinon gagner sa vie. Lorsqu'il quitte les siens, il leur dit au revoir comme s'il devait les retrouver après quelques semaines. Les choses se passèrent tout autrement.

La capitale de la Belgique, dans la quarantième année de son indépendance, se trouve en pleine métamorphose. A côté des vieux quartiers qui ont conservé le décor et les saveurs populaires des anciens temps, s'érigent de grosses maisons cossues et des bâtiments publics dont le babylonien Palais de Justice, qui repose sur ses vingt mille mètres carrés de superficie, est l'exemple. La construction de la Bourse du Commerce, de l'architecte Léon Suys, dispose de crédits qui permettent d'en faire, par l'ampleur et la richesse décorative, un symbole de la prospérité du pays. Elle est conçue selon les formules de ce classicisme lourd et opulent qui règne alors dans toutes les villes du monde. Elle requiert pour la sculpture une main-d'œuvre nombreuse et disciplinée. L'initiative individuelle de l'artiste ne peut être que très limitée; les programmes n'ont d'ailleurs rien qui puisse beaucoup exciter l'imagination.

Carrier-Belleuse a été chargé de diriger l'équipe des ornemanistes. S'il a quitté Paris, c'est parce que la guerre y a éteint l'activité artistique et qu'il a la chance de trouver à l'étranger, temporairement, une importante situation. A côté des sculpteurs rencontrés sur place, il a emmené son praticien van Rasbourg que Rodin a bien connu lorsqu'il fréquentait son atelier parisien.

La vie bruxelloise de Rodin, c'est encore l'éternel labeur. Tout le jour se passe à l'atelier ou sur le chantier. Le soir, dans sa chambre, il façonne des statuettes qui seront signées par son patron et vendues à des éditeurs de bronzes d'art.

Il a pris pension dans un estaminet d'une vieille rue du quartier de la Bourse et ne dépense que le strict indispensable dans l'espoir d'envoyer un peu d'argent à sa famille. Que devient Rose, que deviennent ses parents au milieu de la nouvelle tourmente qui s'est abattue sur Paris ? Les nouvelles sont contradictoires mais toujours alarmantes. La Commune. La répression. Paris est en feu. Le sang coule. On fusille des hommes par centaines. La ville n'est plus ravitaillée. On parle de queues interminables à la porte des boulangeries, de magasins mis à sac par la populace affamée.

Le courrier ne fonctionne plus. Enfin, voici des nouvelles de Rose rédigées par la tante Thérèse. Ils sont vivants, elle et son enfant, et les parents. Elle travaille, mais que de difficultés pour se nourrir !

Rodin lui répond. Il décrit sa situation financière, c'est-à-dire son manque total d'argent. Il espère un changement mais, sur ce point, reste dans le vague : « Mon petit ange, je suis heureux que vous êtes sains et saufs; seulement, quand je suis avide de nouvelles, tu ne m'en mets pas bien long; tu ne réponds pas à toutes les questions que je te fais. Donne-moi des détails, que je sache ce que tu as fait pendant ces jours lugubres. Je te console d'avance en te disant que je vais vous envoyer de l'argent dans quelques jours, car j'en toucherai bientôt. Je crois que mes affaires vont marcher; espérance, mon ange! Et si je suis pour rester à Bruxelles, je te ferai venir car je m'ennuie après toi. Tu ne me parles pas de M. Garnier, de M. Bernard à qui j'enverrai de l'argent; bientôt tu iras le voir et aussi à l'atelier; rien n'est-il cassé? Je t'avais écrit une longue lettre en réponse de celle que tu m'avais envoyée il y a un mois; elle ne t'est pas arrivée; je te demande des détails sur la maison, sur l'atelier, sur tout, enfin comment as-tu reçu? J'ai eu, figure-toi, ma petite Rose, beaucoup d'ennuis; il y a près de trois mois que je ne travaille pas; tu penses comme je l'ai passé dur; nous nous sommes fâchés avec M. Carrier; cependant, ça va marcher. Il faudrait que tu attendes encore un peu, Rose; je n'ai pas un sou pour le moment; il y a un pharmacien et un de mes camarades qui m'ont fort heureusement aidé; sans cela, je ne sais comment j'aurais fait. Je te demandais dans la lettre que je t'ai envoyée que tu me prennes mon pantalon au Mont-de-Piété; c'était alors gratis. Et M. Tyrode? Dis-lui bien que je lui enverrai de l'argent sitôt que je pourrai. Il nous est guère possible de garder un logement si fort; cependant, dans un mois, ma position doit se dessiner si je resterai en Belgique ou si je reviendrai. Je t'embrasse de tout cœur. Ton ami. »

Envoyer de l'argent... En attendant il s'est fâché avec son patron. Nous savons pourquoi. Fabriquant tous les soirs après le travail de petites statues pour Carrier-Belleuse, l'idée lui est passée par la tête d'apposer sur l'une d'elles sa propre signature. Et de la proposer à l'éditeur. Ses arguments sont d'une telle naïveté que l'on serait tenté de lui pardonner le geste indélicat. N'est-ce pas, en vérité, « M. Carrier » qui est le faussaire lorsqu'il signe des modèles qui sont de la main d'un autre, et si bien modelés à l'imitation du maître que celui-ci n'a même plus à les retoucher? Il se passe alors ce qui était à prévoir. Bien que la statuette lui fût proposée pour moitié prix (vingt-cinq francs au lieu de cinquante), l'éditeur tique et prévient

Carrier-Belleuse, son habituel fournisseur, lequel, furieux, congédie son praticien.

Voici donc Rodin sans travail et, bien entendu, « sans un sou », à la merci de charités d'un camarade et d'un pharmacien.

Par bonheur pour lui les événements se précipitent. Le calme est revenu à Paris. Carrier-Belleuse a aussitôt dénoncé son contrat avec l'administration belge pour retrouver sa famille et sa belle clientèle. Van Rasbourg le remplace pour terminer les travaux en cours. C'est alors que les deux sculpteurs ont l'idée de s'associer. Ils ont travaillé ensemble plusieurs années et savent l'un et l'autre ce dont ils sont capables. Ils vont donc louer un atelier à Ixelles. Leur contrat spécifie que van Rasbourg signera les œuvres vendues en Belgique et Rodin celles qui seront vendues en France. En théorie, c'est parfait, mais Rodin se trouve grugé. Si van Rasbourg trouve des affaires sur place, lui, à distance, n'en trouve aucune en France. Et van Rasbourg se fait un nom avec l'œuvre d'un autre.

Il est donc difficile de discerner aujourd'hui ce qui appartient à Rodin. On lui attribue les groupes importants de la façade de la Bourse : *l'Afrique* et *l'Asie*, des cariatides et des bas-reliefs à l'intérieur du bâtiment. Plus tard, il désignera lui-même comme étant de sa main des figures décoratives au Palais des Académies et des cariatides sur la façade de quelques maisons du boulevard Anspach. Tout est signé van Rasbourg.

Tant que Rose était restée à Paris, il la criblait de recommandations au sujet de ses sculptures restées à l'atelier (et il avait fallu déménager cet atelier qui coûtait trop cher). Il revenait dans chacune de ses lettres sur les « terres » qui devaient être constamment couvertes de linges mouillés, tâche dont elle s'acquittait avec une constance et une conscience touchantes. Il lui recommandait spécialement le moule du père Eymard, celui de Bibi (*l'Homme au nez cassé*) et surtout *l'Alsacienne*, un buste de Rose, rude et tragique, exécuté pendant le le siège de Paris. Et toujours, lancinantes, les mêmes questions d'argent : « Ma pauvre petite, je n'ai pu t'envoyer de l'argent, mais tu comprends j'ai de gros frais... » « Ecris-moi de suite une longue lettre. J'aurais voulu t'envoyer une pièce de cinq francs pour que tu

L'IDYLLE D'IXELLES

fasses un petit dîner auquel tu aurais invité Madame et Monsieur Pouillebœuf, mais ce sera un autre jour, mais je veux que tu le fasses quand je t'enverrai pour cela. » Un jour, il lui adresse la somme de soixante-cinq francs « dont trente pour le grand Italien qui est venu vous voir de ma part[5], trente pour mes parents, et cinq pour toi, pour ta toilette, je te les adresse pour éviter à maman de faire une course ». Du fils, jamais question. Sa mère était tombée très malade, la petite vérole sévissait. Elle mourut sans plus de bruit qu'elle n'en avait fait dans sa vie. Comme il n'y avait plus d'argent non plus dans la maison, elle fut jetée à la fosse commune. Personne ne sait où.

Il fait venir Rose à Bruxelles. Grâce à son association avec van Rasbourg, il gagne maintenant assez bien sa vie. Il continue à modeler ses petites figures à la manière de Carrier-Belleuse et vend ses modèles à des bronziers jusqu'à quatre-vingts francs. En outre, il se fait la main en exécutant des bustes d'amis ou de personnes qui lui ont rendu service, dont il leur fait généreusement cadeau.

Le couple s'est installé dans une grande chambre à Ixelles, proche de l'atelier. C'est toujours la même vie modeste, emplie par le travail. Ils ne fréquentent que de petites gens du quartier. Le temps s'écoule sans trop de peine dans ce pays où l'on peut se loger et se nourrir à bon marché. Mais lui, dès qu'il a un instant de liberté, se jette sur des livres. Parallèlement à l'exercice de son métier, dont il se sent toujours plus maître, il éprouve le besoin de s'enrichir l'esprit et d'entrer dans le domaine des idées générales qui lui fut si longtemps fermé. A Bruxelles comme à Anvers, où une commande le fait séjourner quelques semaines, il visite longuement les musées. Rembrandt exerce sur lui une attraction puissante. Ces figures dorées de soleil qui surgissent de gouffres d'ombre, n'est-ce pas de la sculpture ? Quand il a une journée devant lui, il prend sa boîte de couleurs et part pour la forêt de Soignes ou vers la campagne environnante.

A Paris, son père et son fils ont été recueillis par la brave tante Thérèse qui, pour les faire vivre, est devenue blanchisseuse.

Nous sommes en 1875. Un petit événement, mais très marquant pour le sculpteur : il avait une préférence justifiée pour son *Homme au nez cassé*; il en fait faire un buste de marbre et l'expédie au Salon de Paris. Cette fois, il est accepté.

Les livres, les musées : son désir de connaître l'Italie montait en lui et devenait chaque jour plus impérieux. Rome surtout. De ses lectures il a gardé une image de la ville aux pierres millénaires, brasier de grandeurs et de corruptions, rougi d'incendies et de sang.

Il ramasse ses petites économies, dit à Rose de bien renouveler les linges mouillés sur ses sculptures laissées à l'atelier, et part.

Un long voyage, partie en chemin de fer, partie à pied. (Il ne dispose que de sept cents francs). Il passe par Reims, Pontarlier, la Savoie, traverse le Mont-Cenis, les Apennins, marche vers Pise d'où il écrit à Rose : « De la pluie... Je te dirai que je ne mange pas toujours régulièrement, que je ne traite mon ventre que lorsqu'il n'y a plus rien à voir... Dinant est pittoresque, Reims, sa cathédrale d'une beauté que je n'ai pas encore rencontrée en Italie. »

Le voici à Florence : « Tout ce que j'ai vu de photographies, de plâtres, ne donne aucune idée de la sacristie de Saint-Laurent. Il faut voir ces tombeaux de profil, de trois quarts. J'ai passé cinq jours à Florence, ce n'est qu'aujourd'hui que j'ai vu la sacristie; eh bien, pendant ces cinq jours, j'ai été froid. Voilà trois impressions durables que j'ai reçues : Reims, les murailles des Alpes et la sacristie. Devant, on n'analyse pas la première fois que l'on voit. Te dire que je fais depuis la première heure que je suis à Florence une étude de Michel-Ange ne t'étonnera pas et je crois que ce grand magicien me laisse un peu de ses secrets... Le soir, chez moi, j'ai fait des croquis, non pas d'après ses œuvres, mais d'après tous les échafaudages, les systèmes que je fabrique dans mon imagination pour le comprendre... »

Rodin va d'emblée aux sommets, Reims, Michel-Ange. Il a vu les tombeaux des jeunes morts Giuliano et Lorenzo. Corps vivants, grandioses et tragiques, chargés d'énergie et de force apaisée tandis que les figures qui les accompagnent, dites *le Jour* et *la Nuit*, *l'Aurore* et *le Crépuscule* sont appesanties et accablées par la mort.

Les figures féminines sont achevées, tandis que les figures masculines ne sont qu'ébauchées. Et ce sont justement celles-là qui le fascinent. Il sent le travail du sculpteur qui fait naître les formes du marbre brut, l'effort qui n'a pu être mené à sa fin, et l'impuissance de l'artiste le plus puissant du monde à édifier le tombeau de ce Laurent le Magnifique qui lui avait donné tant de preuves d'amitié et d'admiration.

Pourtant, quelque chose de considérable lui a échappé, c'est l'extraordinaire cohésion de la chapelle des Médicis, l'intime alliance de la sculpture et de l'architecture, cette construction où l'ombre et la lumière sont distribuées pour commander les rythmes d'un espace clos où une corniche prend la même importance que des sarcophages ou des personnages, les uns et les autres architecturés selon les mêmes lois. Rodin a compris le secret de Michel-Ange sculpteur, sans comprendre le secret de Michel-Ange architecte.

Après Florence, encore toute rayonnante de ses nouveautés et où le génie novateur de la Renaissance est si profondément marqué qu'il paraît encore inscrit dans sa fraîcheur, voici Rome, chargée de tout le poids du monde antique et de l'amas des siècles.

Il voit les Raphaël. Décidément, les peintres parisiens qui croient lui succéder n'y comprennent rien. Et avec quelle intensité ne regarde-t-il pas Moïse, et les fresques de la Sixtine! Cet immense Michel-Ange qui reste sculpteur dans sa peinture!

Ce voyage italien aura sur lui des résonances profondes. Il y a trouvé une confirmation et une exaltation de ses pensées et de ses méthodes et, directement, un enseignement magistral. Et surtout ce contact des maîtres qui lui laisse entrevoir qu'il peut, qu'il doit, lui aussi, devenir un maître.

Il a l'impression de posséder une force qui n'a pu encore s'exprimer. Ses travaux décoratifs de Paris ou de Bruxelles ne sont certes pas des tâches déshonorantes. Le grand Rude n'a-t-il pas travaillé pendant vingt ans — et en Belgique justement — à l'exécution de bas-reliefs décoratifs au château de Tervueren? Ce qui ne l'empêcha point de sculpter *la Marseillaise* et *le Maréchal Ney*.

Mais s'il veut devenir un artiste digne de ce nom, il doit créer son œuvre personnelle, conçue par lui telle qu'il aura su l'imaginer.

Art et métier

Rodin doit-il regretter d'avoir sacrifié sa jeunesse à d'humbles tâches ? Il n'a cessé de dire la reconnaissance qu'il devait à ses professeurs de l'Ecole, et à tous les artisans consciencieux, formés par une longue pratique, qui lui avaient enseigné des recettes de métier lorsqu'il était lui-même artisan.

Débarrassons-nous des idées toutes faites, des idées en cours, pour juger sainement de la situation morale des artistes professionnels de l'époque où Rodin travaillait au milieu de tant d'autres, comme lui sans renom. Depuis, nous vivons « l'ère des génies ». Le métier peut encore être un savoir-faire, non plus un faire-valoir. Il est abandonné au profit d'inventions et d'improvisations suscitées par un désir d'originalité à tout prix qui naissent dans une complicité dialectique de commentaires et d'interprétations dont une langue hermétique spécialisée s'ingénie à suggérer les motivations.

Héritier de l'Ancien Régime par son éducation et sa formation — il l'a souvent souligné — Rodin durant la première partie de sa vie est resté proche du temps où il y avait des corporations de « maîtres peintres et sculpteurs » dont le métier leur permettait d'exécuter des lambris, des armoires, des pilastres, des chapiteaux, des frontons, de peindre un trumeau, un sujet galant, un tableau de dévotion ou un portrait parfaitement ressemblant. La définition de l'artiste c'était l'exercice même de son métier, tout comme un ébéniste ou un serrurier; et le mieux formé, sinon le plus doué, était assuré de la meilleure clientèle de son pays. Le système corporatif exigeait un apprentissage et, en définitive, du talent. Il était rigoureux, tâtillon, fermé, mais n'empêchait point un Watteau lorsqu'il peignait une enseigne sur commande de nous laisser celle de Gersaint.

La Révolution, décidant qu'un artiste ne devait plus être « servile » fit crouler l'édifice; puis, sous la pression des faits, se reconstituèrent bientôt, en dehors des corporations interdites, des cellules d'artisans qui devinrent des salariés dépendant d'un chef d'entreprise. Il fallait travailler beaucoup pour un salaire réduit. Mais, en ce temps-là, un sculpteur de talent pouvait assez facilement trouver du travail et en vivre. Sur le plan quantitatif, la seconde partie du XIXe siècle fut une période extraordinaire. Les monuments publics sont chargés et surchargés de sculptures. L'abondance ornementale qui s'étale sur les façades d'immeubles est, pour le propriétaire et pour le locataire, un signe d'élévation sociale dont ils tirent vanité; à l'intérieur comme à l'extérieur les dépenses décoratives sont incluses dans le prix du loyer. Corniches, bandeaux, pilastres, encadrements des portes et des fenêtres, parfois des cariatides, ornent les riches maisons bourgeoises et les hôtels particuliers. Les monuments sont de plus en plus boursouflés d'excroissances, bas-relief ou ronde-bosse, et si une surface quelconque reste unie, on craint que cela ne paraisse signe de pauvreté. La France se couvre alors de châteaux et d'hôtels de ville de style vaguement Renaissance, de préfectures, de théâtres, d'un style hybride, et surtout d'églises pour lesquelles le genre gothique est de règle; puis viennent les chambres de commerce, les banques, les grands hôtels, les casinos qui font surenchère de décors.

Si, au début du XIXe siècle, la sculpture ponctuait assez sobrement l'architecture, au cours du second Empire elle envahit tout. L'architecture est si faible, si médiocre, qu'elle tente de rehausser son prestige en se revêtant d'ornements, mais le méli-mélo des pastiches archéologiques dont elle se pare, comme une femme de faux bijoux, ne fait qu'accentuer la déchéance des formes.

Après les abandons et destructions des monuments historiques pendant la Révolution et les années qui suivirent, vint le temps des restaurations — souvent de véritables reconstructions — et chaque fois la décoration sculptée sera plus prolixe que sur le bâtiment d'origine. (Nous verrons plus loin quelle est la sûreté de jugement de Rodin, alors très rare, sur ces restaurations abusives). Viollet-le-Duc et ses émules emploient des centaines de sculpteurs qui travaillent à des statues et des ornements dont ils fournissent les modèles. Au nouveau Louvre, les pavillons sont décorés d'écussons et de cariatides, surmontés de frontons qui font effervescence, et de groupes colossaux. Quatre-vingt-six statues d'hommes illustres s'alignent sur les portiques et, près des combles, soixante-trois groupes allégoriques. La façade de la rue de Rivoli est creusée de niches si nombreuses que l'on n'a pu toutes les remplir. Et nous ne parlons pas des consoles, chapiteaux, panneaux, frises et vermiculures qui paraissent avoir pour principal objet de ne pas laisser paraître la pierre nue. Les façades du nouvel hôtel de ville de Paris reçoivent cent dix statues de Parisiens célèbres (l'une est justement due à Rodin), tandis que les salles d'honneur sont enrichies d'allégories variées. La Troisième République prodigue, à Paris ou en province, sur les places ou dans les jardins publics, les effigies de personnalités politiques, littéraires ou artistiques, dont les auteurs sont oubliés comme, d'ailleurs, la plupart des gloires qu'ils prétendaient éterniser.

Tout cela peut faire rêver avec quelque amertume les sculpteurs contemporains qui n'ont même plus la ressource de faire le buste des présidents de conseil d'administration, ce qui était alors de règle et bien payé.

Aussi éloigné que possible des artistes qui s'épuisent en recherches pour trouver des formules inédites et qui arrivent à nommer « sculptures » des objets où la sculpture n'a plus aucune part, Rodin a passé sa jeunesse et une partie de son âge mûr à suivre la tradition des artistes du bâtiment, c'est-à-dire à reproduire des modèles, à les interpréter et, plus rarement, à en concevoir de nouveaux, étant bien entendu qu'il le faisait dans le respect des leçons traditionnelles. Il appartenait à ce corps de métier, alors nombreux et important, « les sculpteurs ornemanistes », et il se classait parmi les meilleurs.

Ces exécutants qualifiés, habiles, certains très doués, ont peu à peu disparu pour la bonne raison qu'il n'y a plus d'ornements. Les origines de ce dépérissement sont lointaines et Rodin les stigmatisait déjà en son temps : « Cet apprentissage d'autrefois, par lequel de longues années d'études permettaient de connaître toutes les parties du métier et d'en montrer les ressources, armait celui qui avait la force de concevoir; il transformait des artisans modestes en collaborateurs réels et utiles. Tout cela a été détruit. L'affaiblissement de l'apprentissage a commencé la destruction des métiers. On a cru remplacer l'apprentissage par des éducations d'école, mais l'élève de nos écoles n'est pas l'apprenti; il n'est pas contraint à l'effort; il travaille quand il le veut; il est déjà un futur artiste; il n'est pas un artisan; trop souvent même, il est déjà un Monsieur. Tout en accomplissant ses multiples et faciles besognes, l'apprenti prenait l'esprit de l'atelier; il apprenait à obéir. Puis il abordait le métier, se formait la main en apprenant les premiers éléments, et faisait chaque jour un pas nouveau. Ensuite, il travaillait aux compositions de ses camarades plus anciens, dont le contact journalier formait sa jeune intelligence, avant de pouvoir procéder à des premiers essais. En un mot, avant de commencer à produire, il avait le temps de désirer. » Et il comparait avec les nouvelles méthodes. Les séances où le professeur sacrifie deux minutes de correction à chaque élève ne sont pas un enseignement.

Toute sa vie Rodin reviendra sur cette question de l'apprentissage en se félicitant d'avoir été si longtemps apprenti. Il l'est resté jusqu'à quarante ans. Et ne l'est-il pas resté jusqu'à sa mort, demandant constamment des leçons à la nature, aux cathédrales et à ces antiques qu'il avait placés autour de lui et qu'il interrogeait sans cesse pour qu'ils lui dispensent leur éternelle leçon ?

Au retour de son voyage en Italie, Rodin, fort de certitudes nouvelles, se met à un ouvrage déterminant. Il a laissé à l'atelier, à son départ, l'ébauche de la statue d'un jeune garçon au corps superbe. Il a pris pour modèle un soldat belge — il n'aime pas les professionnels habitués aux poses de mannequin qui leur sont commandées par les académies. Il y travaille pendant un an et demi.

L'enthousiasme qu'il vient d'éprouver à Florence et à Rome devant les statues de Michel-Ange va-t-il conduire sa démarche de créateur? En vérité, rien ne laisse apparaître l'influence de l'auteur des tombeaux de San Lorenzo. Alors que Michel-Ange manifeste son génie expressif par l'amplification équilibrée de la musculature qu'il fait jaillir par la taille directe du marbre, Rodin modèle de petites surfaces lumineuses, de brèves coulées d'ombres et de reflets qui semblent faire tressaillir la chair et qui, de toutes parts, irradient le jeune corps.

Avant de le présenter à Paris il l'expose à une manifestation du *Cercle artistique belge*[6]. Les commentaires sont singuliers, admiratifs et réticents. On parle de la vie intense qui s'en dégage, mais aussi de son étrangeté. Alors vient la question insidieuse : cette statue est trop bien faite, quelle est la part du surmoulage dans son élaboration?

Il y a de quoi faire étouffer Rodin d'indignation. Lui qui, depuis si longtemps, travaille d'après des modèles et qui, au contraire de ses contemporains, considère que le surmoulage est une pratique infamante! Il répond aux calomniateurs en leur offrant de les mettre en présence de son modèle afin de « constater à quel point une interprétation artistique doit s'éloigner d'une copie servile ». On se dérobe. On dit que la question a été seulement posée, que ce n'était pas pour l'offenser, etc.

Rodin fait parvenir sa statue à Paris où il va lui-même l'accueillir. Il l'a débarrassée du javelot sur lequel s'appuyait *le Vaincu*. La suppression de cet accessoire inutile lui donne un autre caractère : ce n'est plus un soldat chancelant et désespéré. Il a pris bien des titres : *l'Eveil du printemps, l'Eveil de l'humanité, l'Homme des premiers âges,* et c'est sous le titre *l'Age d'airain* qu'il sera envoyé au Salon.

L'Age d'airain n'est ni une œuvre académique ni une œuvre réaliste. On y chercherait en vain le pastiche d'un modèle antique ou quelque désir de singularité. Elle ne semble rien apporter de révolu-

L'ÂGE D'AIRAIN. DÉTAIL

tionnaire. Il s'en faut de peu que ce soit une académie comme tant d'autres, mais ce qui est inclus dans ce peu, c'est tout, c'est la vie même, toute proche de la nature, transfiguration de la nature et vibrante dans la lumière.

Rien n'est plus curieux que le désarroi des sculpteurs qui faisaient partie du jury parisien en présence de ce nu très simple, très vrai, mais si rayonnant qu'il diffère complètement de ce qu'ils sont habitués à voir et à recevoir selon des jugements de routine. Il semble leur porter ombrage.

Il est admis cependant.

Mais voilà que des sculpteurs — à coup sûr bien intentionnés — ramassent les ragots de Bruxelles qu'une main charitable leur a fait

L'ÂGE D'AIRAIN. DÉTAIL

parvenir. L'accusation de surmoulage reparaît à Paris, plus percutante. C'est la première fois que des jurés la formulent (la pratique du surmoulage partiel est assez répandue, même parmi eux). Elle se propage d'autant plus que cette sculpture ardente d'un artiste inconnu retient les regards.

Rodin est l'objet d'un scandale public. Il en connaîtra jusqu'à la fin de sa vie. Le génie fait peur.

Il se défend avec courage, mais sans habileté. Le jeune modèle de Bruxelles accepte de venir témoigner — au besoin en se dénudant devant les juges. Mais l'autorité militaire belge ne lui accorde pas la permission de franchir la fontière, ce qui fait ricaner à Paris. On parle de retirer la statue du Salon. Un membre de l'Institut affirme qu'elle a été moulée sur un cadavre.

Rodin se sent injurié; il écrit au sous-secrétaire d'Etat aux Beaux-Arts, qui répond selon l'usage : on nommera une commission d'enquête.

Il va faire prendre des photographies de son modèle que l'on pourra confronter avec sa statue. Par bonheur, des membres du comité du Salon, et parmi les plus importants, prennent sa défense. En premier lieu Falguière, qui admire *l'Age d'airain,* puis Guillaume, qu'il connaît personnellement, Alfred Boucher, Chapu, Paul Dubois, qui font autorité. Se joignent des artistes belges qui l'ont vu travailler. Et enfin Carrier-Belleuse qui, devant une accusation si stupide, oublie leur brouille.

La partie est gagnée. Et cette invraisemblable histoire n'aura fait qu'attirer l'attention sur le talent de celui qui l'a involontairement provoquée.

Trois ans plus tard, le bronze de *l'Age d'Airain* sera acheté par l'Etat et placé dans le jardin du Luxembourg. Comme Rodin avait obtenu la même année une troisième médaille pour *le Saint Jean-Baptiste* exposé au Salon, des membres du Comité bougonnaient : « C'est bien de l'honneur pour une troisième médaille!... »

On reste confondu que des sculpteurs professionnels aient pu se méprendre — ou feint de se méprendre — sur la méthode de travail de Rodin. Peut-être ignoraient-ils qu'il lui fallait toujours un modèle et qu'à défaut il sculptait de mémoire. Un simple regard ne pouvait-il donc leur démontrer que l'on ne peut confondre le moulage avec l'acte créateur ? Comment aurait-on pu obtenir par moulage ce mouvement musculaire, ce frémissement de la peau et, au-delà de la qualité épidermique, cette harmonie de proportions, cette palpitation du modelé qui exclut non seulement le moulage, mais la copie d'un modèle ? L'expression vivante n'est jamais l'exactitude de la surface.

Bien qu'écrasée par les hautes maisons d'Auteuil, au milieu de la place qui porte le nom de son auteur, la statue continue de vivre intensément et châtie par sa présence les bévues de ses mauvais juges.

Pendant ce temps-là, il faut bien que Rodin assure son existence. Aucun achat ne lui est venu du Salon, et les transports de sa statue lui ont coûté cher. L'exposition universelle de 1878 doit s'installer l'année suivante au Champ-de-Mars et sur la colline de Chaillot où les architectes Davioud et Bourdais terminent le palais du Trocadéro dans un style romano-

L'ÂGE D'AIRAIN

hispano-mauresque. En réponse, le « palais de l'Industrie » du Champ-de-Mars, architecture de fonte et de verre, annonce les temps nouveaux.

Sept ans après sa défaite, ses désastres et ses humiliations, la France tient à marquer sa place dans le monde. Sauf l'Allemagne, toutes les grandes nations sont représentées à cette première manifestation internationale organisée par la République de Mac-Mahon. Rodin y est convié. Mais c'est encore à titre d'ouvrier anonyme. L'auteur de *l'Age d'airain* est embauché par un sculpteur nommé Laouste, lui-même débordé de travail.

Cette fois, il est à Paris et Rose en Belgique. Elle doit se débattre, selon les exigences épistolaires de son ami, pour trouver de l'argent, vendre des meubles, payer le transport à Londres du projet qu'il a exécuté pour le monument que Disraëli veut faire élever à Byron. (Il y avait trente-sept projets envoyés et le sien, malgré son optimisme, avait bien peu de chance d'être élu).

Ses travaux le retenant désormais à Paris, il va chercher Rose à Bruxelles. Il rompt — très amicalement — son association avec van Rasbourg car elle n'a désormais plus de sens. Le ménage se loge rue Saint-Jacques, à l'angle de la rue Royer-Collard, où il recueille le fils et son grand-père. En six ans, Rodin changera trois fois de domicile, mais toujours dans ce même quartier proche de sa maison natale de la rue de l'Arbalète[7].

La vie familiale n'est pas agréable dans ces logements trop étroits. Le père Rodin en même temps qu'il perd la vue perd la raison. Il ne veut plus bouger et ne tient que des propos coléreux et incohérents. Le petit Auguste est assez gentil mais apparaît de plus en plus comme un débile mental. Avec l'égocentrisme des artistes, pour qui leur art seul est important, Rodin laisse à la pauvre Rose la responsabilité du foyer, part dès le matin pour son atelier et n'en revient qu'à la nuit tombée.

Un ami, le sculpteur Fourquet, lui a trouvé un atelier voisin du sien, rue des Fourneaux[8]. Dans le quartier abondent les sculpteurs et les artisans d'art, Rodin en gardera un souvenir enchanté. Il travaille toujours intensément. Il exerce toutes sortes de métiers où s'épanouit

L'ÂGE D'AIRAIN. DÉTAIL

SAINT JEAN-BAPTISTE. DÉTAIL

son habileté. « La nécessité de vivre, dira-t-il plus tard, m'a fait apprendre toutes les parties de mon métier. J'ai fait la mise au point, dégrossi des marbres, des pierres, des ornements, des bijoux chez un orfèvre, certainement trop longtemps. Mais cela m'a servi. » Il oublie d'ajouter qu'il avait travaillé à cette époque pour un ébéniste du faubourg Saint-Antoine pour lequel il sculptait des bahuts en noyer.

Tandis qu'il se livre à ce genre de travaux que sa main traite avec une virtuosité routinière, il se laisse aller à ses rêves. Il s'est brûlé au feu de Michel-Ange. Victor Hugo l'exalte. Au moindre instant de liberté, il prend son cahier de dessins et il invente des formes.

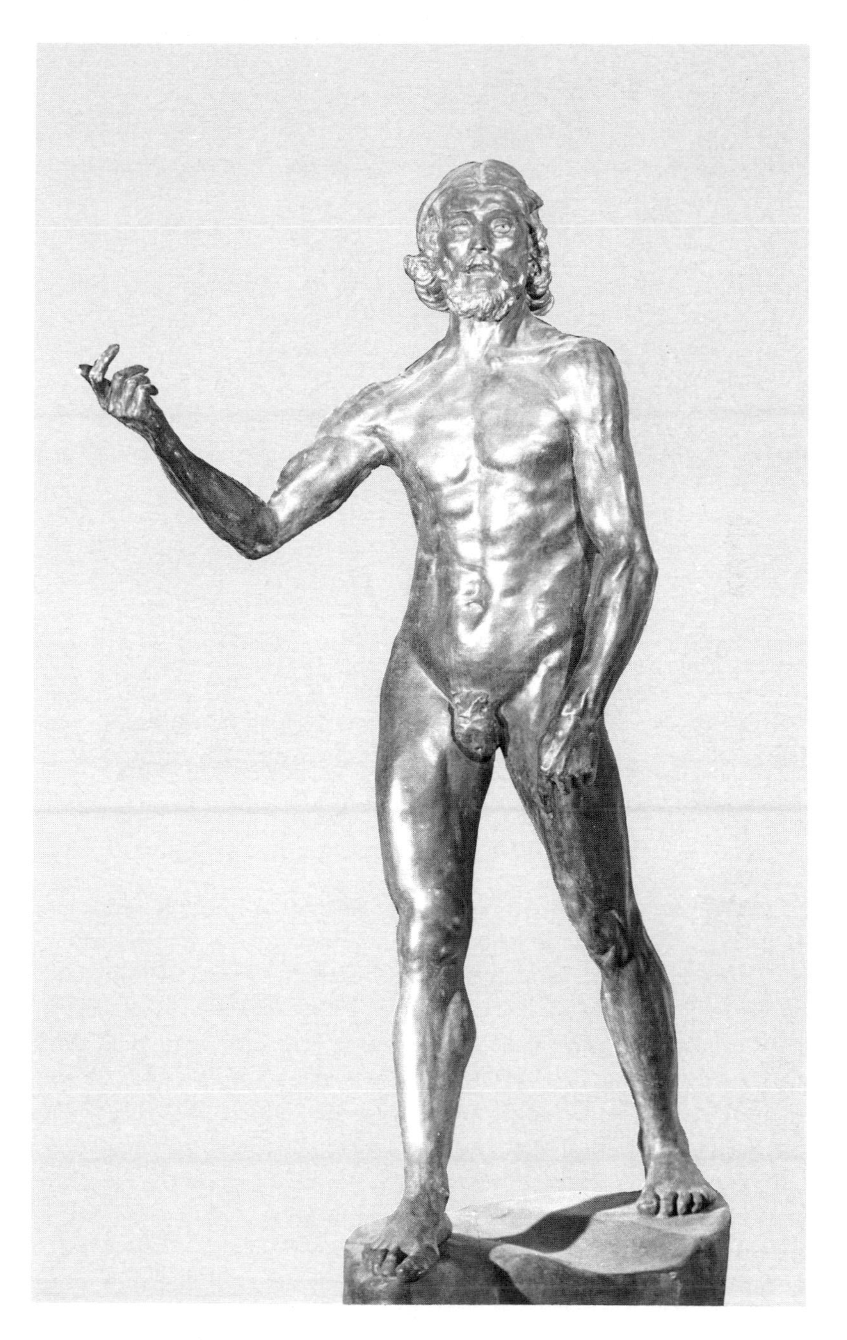

SAINT JEAN-BAPTISTE

SAINT JEAN-BAPTISTE. DÉTAIL

S'il n'est pas très fier des statuettes de plâtre que son amie est chargée d'écouler chez un marchand du passage des Panoramas, il y a un ouvrage, encore incomplet, qui lui tient à cœur. Il nous en a conté l'histoire : « Un matin, on frappe à l'atelier; je vois entrer un Italien accompagné par un de ses compatriotes, qui avait déjà posé pour moi. C'était un paysan des Abruzzes arrivé de la veille de son pays natal et qui venait se proposer comme modèle. En le voyant, je fus saisi d'admiration; cet homme fruste, hirsute, exprimait dans son allure, dans ses traits, dans sa force physique, toute la violence, mais aussi tout le caractère mystique de sa race.

Je pensai immédiatement à un saint Jean-Baptiste, c'est-à-dire à un homme de la nature, un illuminé, un croyant, un précurseur venu

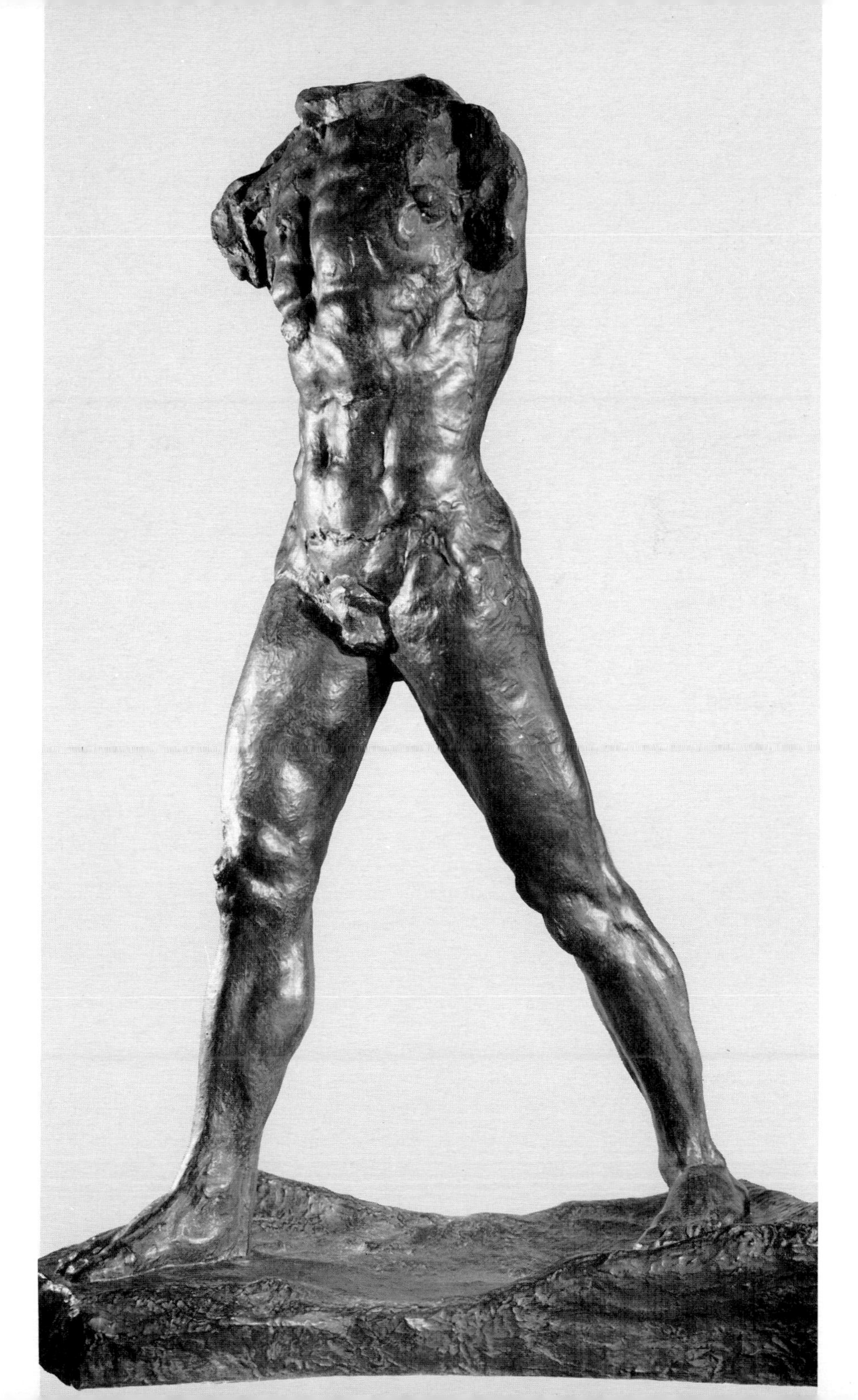

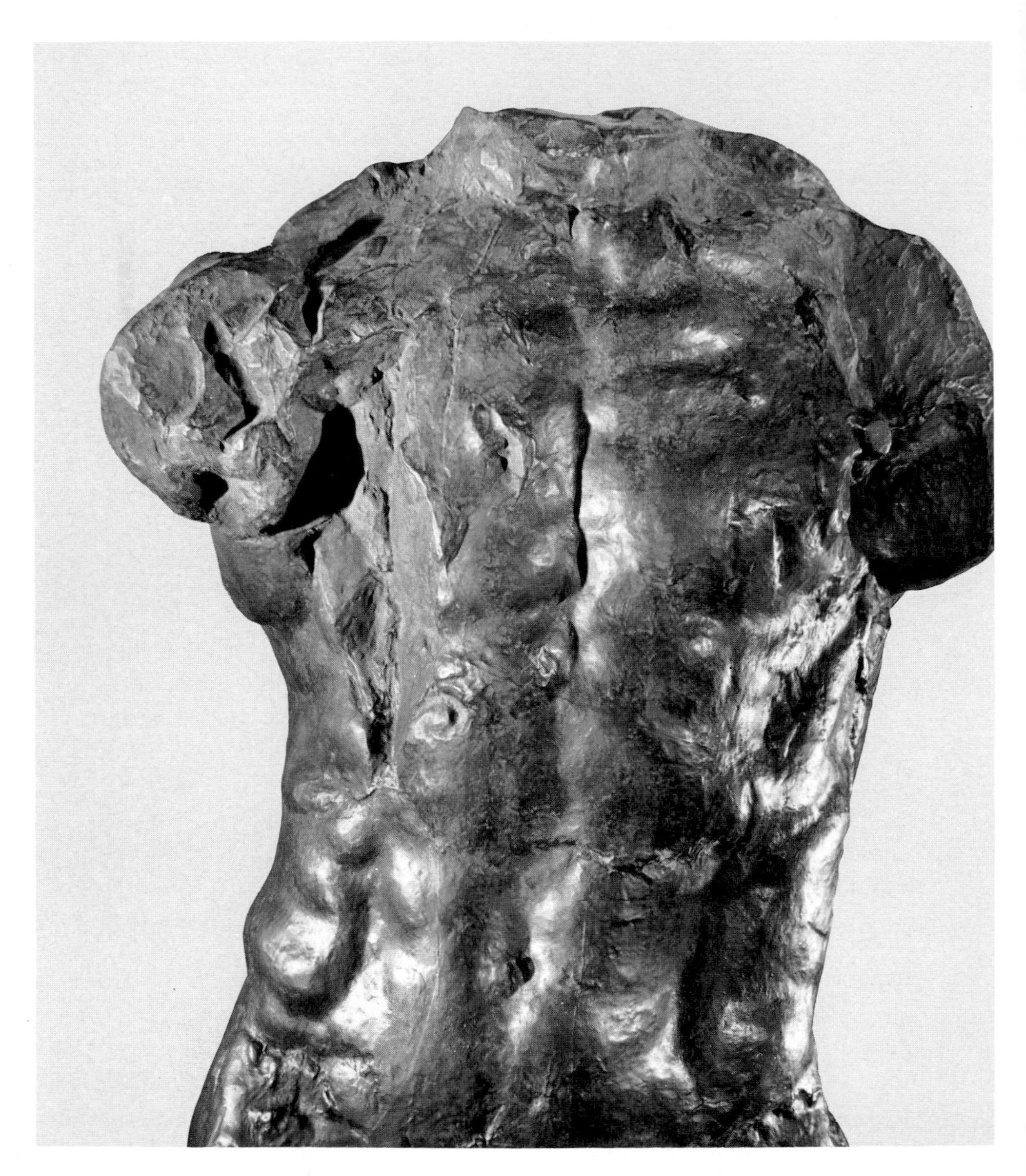

L'HOMME QUI MARCHE. DÉTAIL

pour annoncer un plus grand que lui. Le paysan se déshabille, monte sur la table tournante comme s'il n'avait jamais posé ; il se campe, la tête relevée, le torse droit, portant à la fois sur les deux jambes, ouvertes comme un compas. Le mouvement était si juste, si caractérisé et si vrai que je m'écriai : « Mais c'est un homme qui marche ! » Je résolus immédiatement de faire ce que j'ai vu. On avait alors l'habitude, quand on examinait un modèle, de lui dire : « Marchez », c'est-à-dire de lui faire porter tout l'équilibre du corps placé droit sur une seule jambe; on croyait ainsi trouver des mouvements plus harmonieux, plus élégants, et donner ce qu'on appelait « de la tournure ». La seule pensée de placer l'aplomb d'une figure sur les deux jambes apparaissait comme un manque de goût, un outrage aux traditions, presque une hérésie. J'étais déjà volontaire, entêté. Je pensais seulement qu'il fallait absolument que je fisse quelque chose de bien; car si je ne traduisais pas mon impression aussi exactement que je l'avais reçue, ma statue serait ridicule, et tout le monde se moquerait de moi. Je me promis donc de le modeler avec toute ma volonté. C'est ainsi que j'ai fait successivement *l'Homme qui marche* et *le Saint Jean-Baptiste*. Je n'ai fait que copier le modèle que le hasard m'avait envoyé[9]. »

C'est l'étonnante figure du *Saint Jean-Baptiste prêchant* dont *l'Homme qui marche* (sans tête ni bras) fut l'étude préparatoire. Comme nous l'avons vu, ce morceau, exposé au Salon, valut à son auteur une médaille de dernière classe.

Entre-temps, infatigable, il présente des projets à tous les concours qui lui sont signalés : un monument à Diderot pour le boulevard Saint-Germain, un Jean-Jacques Rousseau, un général Margueritte, un Lazare Carnot, etc. Ils sont invariablement refusés. Le monument pour lequel il a certainement mis le plus de lui-même est celui de *la Défense*, à la gloire des défenseurs de Paris pendant la guerre de 1870[10]. C'est le groupe que nous connaissons sous le nom de *l'Appel aux armes* : le génie des combats, un corps féminin, étend ses bras et ses poings crispés, déploie ses ailes, dont l'une a été blessée dans la lutte, et de tout son visage tendu par la douleur et le courage clame un « au secours » pathétique tandis qu'un guerrier nu, à demi effondré,

L'APPEL AUX ARMES

dont la musculature est tourmentée (peut-être inspiré par un *Esclave* de Michel-Ange ?), semble ramasser ses forces pour se relever. Sculpture peut-être trop agitée pour un monument public mais d'une énergie et d'un élan héroïque qui pouvaient aplatir la soixantaine de projets présentés. Celui de Rodin n'est même pas admis à concourir.

Une seule commande de la direction des Beaux-Arts de Paris lui fut adressée, celle d'un *d'Alembert,* aligné dans une des niches des façades du nouvel Hôtel de Ville, statue comme les autres, impersonnalisée, que personne n'a jamais eu l'idée de regarder[11].

Une faveur l'aide cependant à assurer l'équilibre de son budget. Carrier-Belleuse ne lui a pas longtemps tenu rigueur de la petite histoire de Bruxelles qui les a séparés. Nommé directeur des travaux à la manufacture de Sèvres, connaissant mieux que personne — et pour cause ! — les dons artisanaux de son ancien collaborateur, il le fait entrer dans la maison à titre de « non permanent » ce qui lui permet de recevoir, en plus de ses heures de travail, une mensualité de cent soixante-dix francs[12].

La manufacture est alors dirigée par un chimiste du nom de Lauth qui considère les artistes avec mépris et hostilité. Carrier-Belleuse est soi-disant directeur artistique, mais on lui a bien fait comprendre qu'il n'a rien à diriger. Les modèles nouveaux sont déposés dans des réserves poussiéreuses. La marche de la maison a beaucoup évolué depuis Madame de Pompadour. Il s'agit surtout de fournir à la présidence de la République et aux ministres d'affreux objets d'art et ces fameux « vases de Sèvres » de modèle identique, dont un certain bleu sombre est une garantie d'origine, qui seront distribués aux lauréats de concours et aux gagnants de tombola.

Rodin exécute de petites figures décoratives, ainsi qu'un grand surtout de table intitulé *les Chasses* d'après les dessins de Carrier-Belleuse.

Mais les fonctionnaires de Sèvres ne le voient pas d'un bon œil. Il s'est plaint que ses œuvres fussent volontairement négligées. Certaines ont été cassées. A vrai dire, il ne reste qu'assez peu de chose de ce qu'il a exécuté durant les trois années où il travaille pour Sèvres. Sa vocation était ailleurs et il ne songeait qu'à des sculptures où pourrait se manifester avec ampleur sa personnalité. Lorsqu'il quitte la manufacture il se fait remplacer par son jeune ami Jules Desbois, sympathique, modeste, toujours impécunieux, qui a passé sa vie à mettre au service des autres son incontestable talent.

Des commandes bien rémunérées obligent Rodin à quitter Paris. Ainsi séjourne-t-il à Nice, puis à Strasbourg. Il s'agit toujours de travaux décoratifs anonymes, de façades décorées avec opulence et ostentation pour des clients que la prospérité du commerce et de la finance ont enrichis.

La vie politique évoluait. Les campagnes retentissantes de Gambetta avaient contribué à l'élection d'une Chambre républicaine et à la formation d'un gouvernement « centre gauche ». Les proscrits de la Commune bénéficièrent de l'amnistie. Parmi eux se trouvait Dalou, l'ancien camarade de Rodin, que la Commune avait délégué à la conservation du Louvre et qui, condamné pour usurpation de fonction, s'était exilé en Angleterre.

Les deux amis se retrouvent avec émotion. Mais leurs relations se refroidissent bientôt. Dalou, qui rentre en triomphateur, n'est pas satisfait des éloges que les confrères et les critiques prodiguent à son camarade. Il jalouse sa réputation naissante.

Dalou a pour ami Léon Cladel, romancier populiste qui partage ses convictions politiques et dont les livres sont largement répandus. Rodin avait ainsi connu le milieu Cladel qui réunissait volontiers des écrivains et des artistes. On voyait chez lui Rosny Aîné, Rollinat, Séverine, Paul et Victor Margueritte, Mallarmé et le groupe des écrivains et poètes belges : Verhaeren, Lemonnier, Rodenbach, Georges Eckhoud, attirés par le rayonnement du symbolisme et des artistes comme van Rysselberghe ou Constantin Meunier.

Rodin est vigoureusement soutenu par des écrivains et critiques d'avant-garde dont les plus notoires sont Octave Mirbeau, Gustave Geffroy, qui seront rejoints par Roger Marx dont la jeunesse n'exclut pas l'autorité, puis par Camille Mauclair, combatif défenseur des impressionnistes.

Dans ces réunions amicales il parle peu. Sa voix est hésitante et timide. Mais son œuvre parle déjà pour lui. Il sait d'ailleurs fort bien

FRANÇOIS FLAMENG. RODIN

repérer ceux qui peuvent lui être utiles. Ses relations s'étendent bientôt au milieu politique, bien que lui-même se préoccupe peu de politique. Ses lettres, ses écrits, ses propos recueillis, ne concernent jamais que son art. Le hasard, et peut-être une certaine intuition, le portent vers les hommes qui vont graviter autour du pouvoir. Il a fréquenté des réfractaires. Dorénavant il fréquentera des ministres.

Il sera loin toutefois de la carrière de Dalou, engagé dans la politique. Il ne sera pas chargé — heureusement pour lui — d'édifier les grandes machines des places de la République et de la Nation. Sans doute a-t-il su se servir de ses relations, sans doute a-t-il recherché les appuis officiels, mais ce fut dans le seul but d'accomplir sans concession son œuvre personnelle.

Son ami Legros fit son portrait à cette époque, peinture assez vigoureuse, mais surtout, pour nous, intéressant document. La masse épaisse aux reflets fauves de la barbe et de la chevelure, laisse juste paraître un nez droit prolongeant exactement l'axe du front; l'arcade sourcilière est fortement accentuée; de ce profil se dégage une impression de puissance autoritaire et entêtée; mais, sous la lourde paupière maladive, le regard reflète, en même temps que la pénétration, une étrange douceur.

Il est introduit dans le salon de Juliette Adam où fréquentent des personnalités qui tiennent le devant de la scène. Fondatrice de *la Nouvelle Revue*, auteur de récits et d'essais où elle affirme ses opinions philosophiques, politiques et sociales avec une autorité que l'on trouve rarement chez une femme, c'est une animatrice.

A ses réceptions, l'éloquence sonore de Gambetta se répand dans un cercle d'admirateurs. Rodin lui est présenté. Bien entendu Gambetta ignore jusqu'à son nom. Est-ce la grosse barbe rousse, est-ce le regard craintif qui font impression sur le tribun? Toujours est-il qu'il lui donne un mot de recommandation pour Antonin Proust, son ancien attaché de cabinet, député, journaliste, dont il a fait un ministre des Beaux-Arts, lequel acquiert pour l'Etat son bronze le plus important, le *Saint Jean-Baptiste*. Dans le même cercle se rencontrent Waldeck-Rousseau, Spuller, Castagnary, critique d'art et sous-secrétaire d'Etat aux Beaux-Arts qui le soutint toujours.

Un avocat que la politique a conduit à diriger momentanément les Beaux-Arts, Edmond Turquet, s'intéresse d'autant plus à cet artiste qu'il est recommandé par des sculpteurs qui, loin pourtant de l'égaler, ont l'avantage d'être considérés dans les sphères gouvernementales : Boucher, Dubois, Falguière, Chapu et quelques autres, qui triomphent alors au Salon, et dans les salons, l'appuient de leur influence.

L'occasion se présente de lui passer une commande importante. L'incendie de la Cour des Comptes par la Commune a laissé un terrain où les ruines sont envahies d'arbustes et de ronciers que les Parisiens nomment la forêt vierge. C'est sur cet emplacement que l'on projette de construire un musée des arts décoratifs dont la vocation serait signalée par une porte monumentale en bronze richement décorée[13].

C'est ainsi que Rodin fut aux prises avec cette *Porte de l'Enfer*, la grande œuvre de sa vie, où se déchaîna sa puissance visionnaire, qu'il anima de toutes les inspirations de son génie et qui absorbera son esprit pendant vingt ans, cette œuvre où sa vigueur imaginative s'est exercée de façon si tumultueuse qu'elle a fini par le dépasser et qu'il dut abandonner inachevée.

Désormais, s'il reste toujours la bête noire des sculpteurs académiques, Rodin entre dans sa carrière glorieuse. Son œuvre, encore âprement discutée, méprisée par les bureaux de l'Hôtel de Ville, a le privilège de bénéficier de l'engouement de cette haute société qui fait et défait les réputations. A cette époque, où toutes les formes de l'art sont agitées de prodigieuses mutations, il est le seul artiste français qui, bousculant avec ivresse toutes les règles en cours, soit l'objet dans certains milieux officiels d'une considération d'abord inquiète, puis de plus en plus assurée.

Lors de ses premiers succès des années 1880, la peinture était en pleine effervescence. C'est en 1874 que les impressionnistes avaient organisé chez Nadar leur première exposition de groupe où figurent Manet, Monet, Sisley, Renoir, Pissarro, Berthe Morisot et Caillebotte. Maintenant les tableaux incandescents d'un Cézanne, d'un Gauguin, d'un van Gogh bouleversent les principes traditionnels de la peinture. La bataille menée avec témérité par Durand-Ruel n'a pas encore été couronnée de succès. Le public ne marche pas. Mais l'importance doctrinale du mouvement grandit de jour en jour au milieu de l'incompréhension ou de l'hostilité du plus grand nombre et de l'enthousiasme de quelques-uns.

Avec une spontanéité et une sincérité qui n'est mise en doute que par les imbéciles ou les ignares, les impressionnistes ont découvert une vision nouvelle de la nature et de son tressaillement dans la lumière. Pour les historiens de l'avenir les lieux de leurs découvertes et de leurs aventures sonneront comme des noms de bataille : Argenteuil, Pontoise, Giverny, le Pouldu, l'Estaque, Saint-Rémy, Auverssur-Oise, Tahiti. Ils s'encouragent mutuellement. Ils savent qu'ils détiennent une vérité contre quoi le goût officiel et les pouvoirs des académies viendront se briser. Après eux la peinture sera autre et c'est la leur qui comptera.

Dans le domaine de la sculpture, un seul homme mène le combat et assume ce rôle de séditieux et de précurseur.

On peut aujourd'hui rétorquer qu'il y eut les sculptures de Daumier, puis celles de Degas. Mais alors, vis-à-vis du public et même des amateurs, les sculptures de peintres étaient généralement considérées comme des amusettes.

Regardons ces photographies où l'on voit des messieurs en haut-de-forme désigner de leur canne des nudités frileuses, des scènes du genre « joueurs de biniou », ou des bustes « en veux-tu-en-voilà ». C'est le jury du Salon qui opère. Et jusqu'au fond des provinces, grâce à l'invention de la photogravure, on admirera le talent avec lequel ces « grands prix de Rome » et ces « hors-concours » savent imiter des hommes, des femmes, des enfants en chair et en os, et faire astucieusement filer leurs veines depuis les tempes jusqu'au coup de pied. Nus savonneux, gesticulations théâtrales règnent dans les intérieurs et sur les places publiques.

Dans cette indigente et prétentieuse grisaille, la lumière que Rodin fait apparaître dans le ciel des arts est celle d'un soleil levant.

Depuis Carpeaux, mort à quarante-huit ans en 1875, qui avait su donner un frémissement de vie à la figure humaine, qu'était devenue la sculpture ? La scolastique néo-grecque d'un Chapu, d'un Gérome, d'un Barrias, les grâces maniérées, dites florentines, d'un Paul Dubois et de ses suiveurs, sont des habiletés de métier qui ne comblent d'aucune manière le vide de l'esprit.

Hors de France, la situation n'est pas meilleure. A Bruxelles, Rodin avait connu Constantin Meunier qui eut son heure de prestige, parce qu'il était animé de préoccupations sociales et avait rompu avec les facilités académiques pour traiter des sujets populaires contemporains dont il tentait de dominer le minutieux réalisme; mais il n'y a pas de comparaison possible entre les mineurs et les débardeurs de l'artiste belge, qui ne sont effectivement que des mineurs et des débardeurs, et les grandioses figures de Rodin qui dépassent le naturalisme et nous mettent en présence de l'homme éternel.

Dans tous les pays la sculpture est tombée si bas que l'on serait en peine de citer un nom de sculpteur mémorable.

Rodin avait reçu dans sa jeunesse le bref enseignement de Carpeaux. Mais rien ne permet de comparer l'aisance et le charme souriant de l'auteur de *la Danse* avec la véhémence passionnée de celui qui sut animer de tant de force féconde les créatures qu'il pétrissait de ses mains. Ce qu'il y a de plus extraordinaire c'est qu'il soit arrivé, contrairement aux maîtres de la peinture vivante, à imposer son génie chez les académistes les moins obtus et dans certains milieux officiels au point que, malgré d'incessantes conjurations de ses ennemis naturels, il devint une sorte de personnage dont la souveraineté en son art fut consacrée. A l'heure de son apothéose, la plupart des impressionnistes vivaient ou mouraient dans l'indifférence du public et de l'Etat.

LES BOURGEOIS DE CALAIS

Les bourgeois de Calais

La commande de *la Porte de l'Enfer* l'a mis dans une extraordinaire exaltation. Il n'a plus un moment de répit. Ses carnets, des cahiers d'écolier, des feuilles volantes s'emplissent de dessins tourmentés, d'esquisses crayonnées d'un jet, de lavis hâtifs où surgissent des êtres étranges qui s'élancent, se tordent ou s'étreignent sous le souffle tempétueux de son imagination. Il paraît saisi de délire. Au cours des repas il saisit son carnet pour tenter de retenir et de fixer l'image de ses hallucinations.

Il ne délire pas. Ce sont des réminiscences des lectures de *l'Enfer* de Dante qui l'inspirent. C'est l'éternelle humanité chargée de ses peines et de ses espérances, de ses passions, de ses instincts, de ses gémissements d'amour et de ses cris de peur qui anime la pointe de son crayon.

L'atelier de la rue des Fourneaux ne peut suffire à abriter cet ouvrage monumental qui doit avoir au moins six mètres de haut et qu'il a déjà l'intention de peupler d'une multitude de personnages

LA CRÉATION DE LA FEMME

qui symbolisent les passions humaines. L'Etat met à sa disposition deux ateliers du Dépôt des Marbres, à l'extrémité de la rue de l'Université, près du Champ-de-Mars. Douze ateliers s'alignent autour d'une grande cour encombrée de marbres bruts ou dégrossis. Ils sont réservés à des sculpteurs ou à des peintres qui ont à exécuter des commandes d'exceptionnelles dimensions. Même lorsqu'il aura d'autres ateliers encore plus vastes, même lorsqu'il aura ceux de Meudon et de l'hôtel Biron, il gardera ceux du Dépôt des Marbres. C'est l'adresse du 183 rue de l'Université qui figurera sur son papier à lettres et c'est là où il recevra le plus souvent ses admirateurs.

Ses premiers crayonnages d'ensemble de *la Porte* s'inspirent nettement des compartiments qui composent celle de Ghiberti au baptistère de Florence. Mais ce ne sera qu'une idée passagère. Le peuple des damnés dont il modèle les maquettes à un rythme effréné déborde aussitôt les cadres. La foule des figures qui sortent de ses mains, qu'il reprend ou qu'il détruit sans cesse, sont

ÈVE

diverses par leurs reliefs et il les imagine tout aussi diverses de proportions. Peu à peu c'est un univers fulgurant et chaotique, voluptueux et terrifiant qui, au pied de la maquette en plâtre de *la Porte,* s'entasse en désordre.

Rodin recevra vingt-sept mille cinq cents francs d'acompte en sept ans sur les trente mille francs fixés pour le prix de la commande. En outre l'Etat lui a acheté les bronzes de ses admirables statues d'*Adam* et d'*Eve* dont il compte flanquer *la Porte de l'Enfer.*

Si parcimonieux dans sa vie quotidienne, il ne lésine jamais devant la dépense lorsqu'elle concerne sa profession. Les séances de ses modèles (il ne peut rien faire sans modèle), les moulages innombrables de ses maquettes si fréquemment modifiées ou détruites, les fontes en bronze, les patines, les ciselures, il les multiplie sans compter.

Il profitera de cette bonne fortune inattendue et des commandes diverses qui, à présent, commencent à s'accumuler, pour louer des ateliers nouveaux dans les faubourgs. Au 117 boulevard de Vaugirard c'est une grande salle élevée qui donne sur un jardin. Il découvre un jour, au 68 boulevard d'Italie, disparaissant derrière la végétation d'un jardin à l'abandon, un hôtel du XVIIIe siècle avec un porche à colonnades et des pavillons d'angle à frontons. Cette demeure fut habitée par Corvisart et, dit-on, par Musset. Elle est mutilée et en partie ruinée. Mais le rez-de-chaussée peut servir d'atelier ou de réserve. Des pièces sont habitables. Au vrai, il n'y viendra guère que pour des rendez-vous clandestins. Le bâtiment est voué à la destruction et le sculpteur sera le témoin scandalisé de la démolition de ce beau morceau d'architecture; il recueillera sur le chantier des pierres sculptées dont elles étaient l'ornement.

Il a le goût de ces retraites mystérieuses, dont Rose ignorait l'existence. Judith Cladel nous raconte sa surprise lorsque la gardienne du château de Nemours lui dit que la vieille tour est louée « à un artiste de Paris, Monsieur Rodin ». Lorsqu'elle le questionne à ce sujet, il répond « par le rire moqueur et muet dont il raillait ses petites extravagances ».

Chez ce pèlerin des cathédrales de France nous noterons toujours cette passion pour la belle architecture; et l'on ne peut que s'étonner

STATUE ÉQUESTRE DU GÉNÉRAL LYNCH

MADAME VICUÑA

qu'il n'en ait fait meilleur usage dans ses propres monuments.

Durant cette période, sa fécondité est incroyable. Parallèlement aux sujets destinés à sa *Porte de l'Enfer,* dont certains agrandis deviendront des bronzes ou des marbres célèbres, il exécute des portraits de ses amis, celui de Legros qui professe à Londres, de Jean-Paul Laurens et d'Eugène Guillaume, ses voisins d'atelier au Dépôt des Marbres, de Dalou, de Maurice Haquette, beau-frère d'Edmond Turquet, qu'il avait connu à la manufacture de Sèvres.

Celui de Victor Hugo est mené à bien dans des conditions difficiles. Au comble des honneurs, le poète n'accepte pas de poser. Grâce à la connivence de Juliette Drouet, Rodin est cependant autorisé à disposer une selle dans une galerie de l'hôtel de l'avenue d'Eylau et à prendre des croquis du maître tandis qu'il travaille à son bureau, reçoit dans son salon ou déjeune à sa table. Ce fut peut-être un bienfait. Ainsi peut-il tracer, selon ses principes, tous les profils qu'il souhaite et saisir des expressions vivantes plutôt qu'un visage lassé par la pose.

Sa grande réussite est le buste de Madame Vicuña, dont le mari est ministre du Chili à Paris. Celui-ci lui fait passer commande de deux monuments pour son pays. L'un est celui de son père le président Vicuña, l'autre celui du général Lynch, le libérateur du Chili. Rodin représente le président recevant une palme de la Patrie reconnaissante. Quant à celui du général, il va lui permettre de réaliser son rêve : une statue équestre. Les deux maquettes prennent le bateau, mais elles arrivent lors d'un de ces coups d'état dont les pays sud-américains sont coutumiers. Peut-être furent-elles volées ou brisées par des partisans. Dans tous les cas on ne les reverra plus.

Quant au buste de la jeune Madame Vicuña, qui sera exposé au Salon de 1888, c'est un miracle de grâce où, sous l'ingénuité apparente, affleure la sensualité. La bouche est prête à s'entrouvrir, les yeux à battre de désir, les narines à palpiter. Le décolleté, les épaules rondes, la naissance des seins suggèrent la nudité du corps tout entier. Il n'est pas jusqu'au nœud de ruban dans la coiffure — ce détail placé par un autre semblerait un accessoire de comédie — qui ne prenne ici une valeur de féminité.

Talent protéique de Rodin! C'est au cours de cette même année 1884 où cette jeune femme posa pour lui de façon un peu trop prolongée, a-t-on dit, qu'il se mettra à l'étude des *Bourgeois de Calais.*

Les Bourgeois de Calais, c'est peut-être son œuvre capitale. En tout cas, la plus aboutie de ses œuvres capitales.

Reprenant une vieille idée de leurs devanciers, le maire et les conseillers municipaux de Calais avaient résolu d'élever un monument à la gloire des héros qui avaient fait le sacrifice de leur vie pour sauver la cité. Etait-il intention plus juste et plus noble de la part des magistrats municipaux que d'éterniser la mémoire de cet acte sublime qui avait permis à leur ville d'exister encore, et d'offrir aux Calaisiens le témoignage d'un événement de leur passé?

On s'était autrefois adressé aux sculpteurs les plus notoires, à David d'Angers sous Louis-Philippe, à Clésinger sous le second Empire, sans pouvoir recueillir les fonds suffisants. Maintenant, en 1884, sous l'impulsion d'un maire intelligent, M. Dewavrin, le principe est adopté de lancer une grande souscription nationale qui permettra de réaliser le vœu qui lui est cher. Par l'intermédiaire d'un ami commun, on s'adresse à Rodin.

Il faut lire l'abondante correspondance du sculpteur avec le maire, ses lettres, d'un tour naïf et d'une plume maladroite, pour se rendre compte de l'importance qu'il attacha tout de suite à cet ouvrage et du cheminement de sa pensée. Le thème proposé était de ceux qui pouvaient le plus profondément l'exalter. Il allait renouer avec les grandes traditions du Moyen Age, avec cet univers des cathédrales dont il se sentait si proche et où il ne pénétrait jamais sans émotion. Il tenterait de porter le poids et d'exprimer l'humanité de cette ascendance spirituelle dont il avait pénétré les mystères sans doute mieux que quiconque en son temps.

M. Dewavrin est venu lui rendre visite à son atelier. Il est reparti convaincu que le choix de l'artiste est le bon.

Peu après, Rodin lui écrit : « J'ai eu la chance de rencontrer une idée qui me plaît et dont l'exécution serait originale; je n'ai vu nulle part une disposition donnée par le sujet et qui soit plus complètement particulière; ce serait d'autant mieux que toutes les villes ont ordinairement le même monument, à quelques détails près. »

Quinze jours plus tard il lui annonce qu'il a fait mouler sa première esquisse en terre et s'explique sur ce qu'il a conçu : « L'idée me semble complètement originale, au point de vue de l'architecture et de la sculpture. Du reste, c'est le sujet même qui l'est et qui impose une conception héroïque; et l'ensemble des six figures se sacrifiant a une expression et une émotion communicative. Le piédestal est triomphal pour porter non un quadrige, mais le patriotisme humain, l'abnégation, la vertu... Rarement, j'ai réussi une esquisse avec autant d'élan et de sobriété. Eustache de Saint-Pierre, seul, par son mouvement digne, détermine et entraîne ses parents et amis... Je dois aussi vous envoyer aujourd'hui un dessin, une autre idée, mais c'est l'esquisse en plâtre que je préfère... Ce que j'ai donné n'est que le bloc de la pensée et cet arrangement qui, tout de suite, m'a séduit parce que je connais toutes les redites de la sculpture à l'usage des grands hommes et des monuments qu'on leur élève. »

Il plaide une cause. Il insiste sur l'originalité du monument à six personnages qui sera différent des autres monuments publics car il sait bien à quoi un artiste s'expose lorsqu'il dérange les habitudes.

Avant de se mettre au travail, Rodin avait voulu lire dans *les Chroniques* de Froissart le récit de l'action qu'il avait à commémorer.

L'image du groupe entier des victimes expiatoires s'avançant pour s'offrir en holocauste au vainqueur est si fortement ancrée en lui qu'elle ne l'abandonne plus.

Mais quoi? Les édiles demandaient une statue. Qu'est-ce qu'une statue? C'est un personnage de pierre ou de bronze, au besoin agrémenté d'une figure allégorique, ou encore d'un bas-relief anecdotique sur le socle. Or, ce que propose Rodin n'est pas une statue, mais six statues. Ils n'en discutent pas la valeur. Ils disent que cette confusion de personnages n'est pas un vrai monument.

Il avait été question jusqu'ici de symboliser l'héroïsme des otages par la seule représentation d'Eustache de Saint-Pierre, celui qui était le plus riche d'entre eux, qui les avait convaincus de la valeur du sacrifice et les y avait entraînés. D'ailleurs les illustres prédéces-

MAQUETTES EN PLÂTRE POUR
LES BOURGEOIS DE CALAIS

ÉTUDE POUR PIERRE DE WISSANT

seurs auxquels on s'était autrefois adressé pour ce monument n'avaient pas imaginé autre chose que de statufier un personnage symbolique.

Dès le début apparaissent les réticences du comité. Mais les anciens condisciples de Rodin, son ami Legros, qui vient exprès de Londres, et le peintre Cazin, originaire du Pas-de-Calais, qui jouit d'une grande notoriété, appuient leur camarade. Le maire demande à Rodin de faire le voyage et de présenter lui-même son projet au comité.

Il le fait avec toute sa conviction. Son refus des compromis, sa totale intransigeance frappent ses interlocuteurs. Il semble avoir gagné la partie.

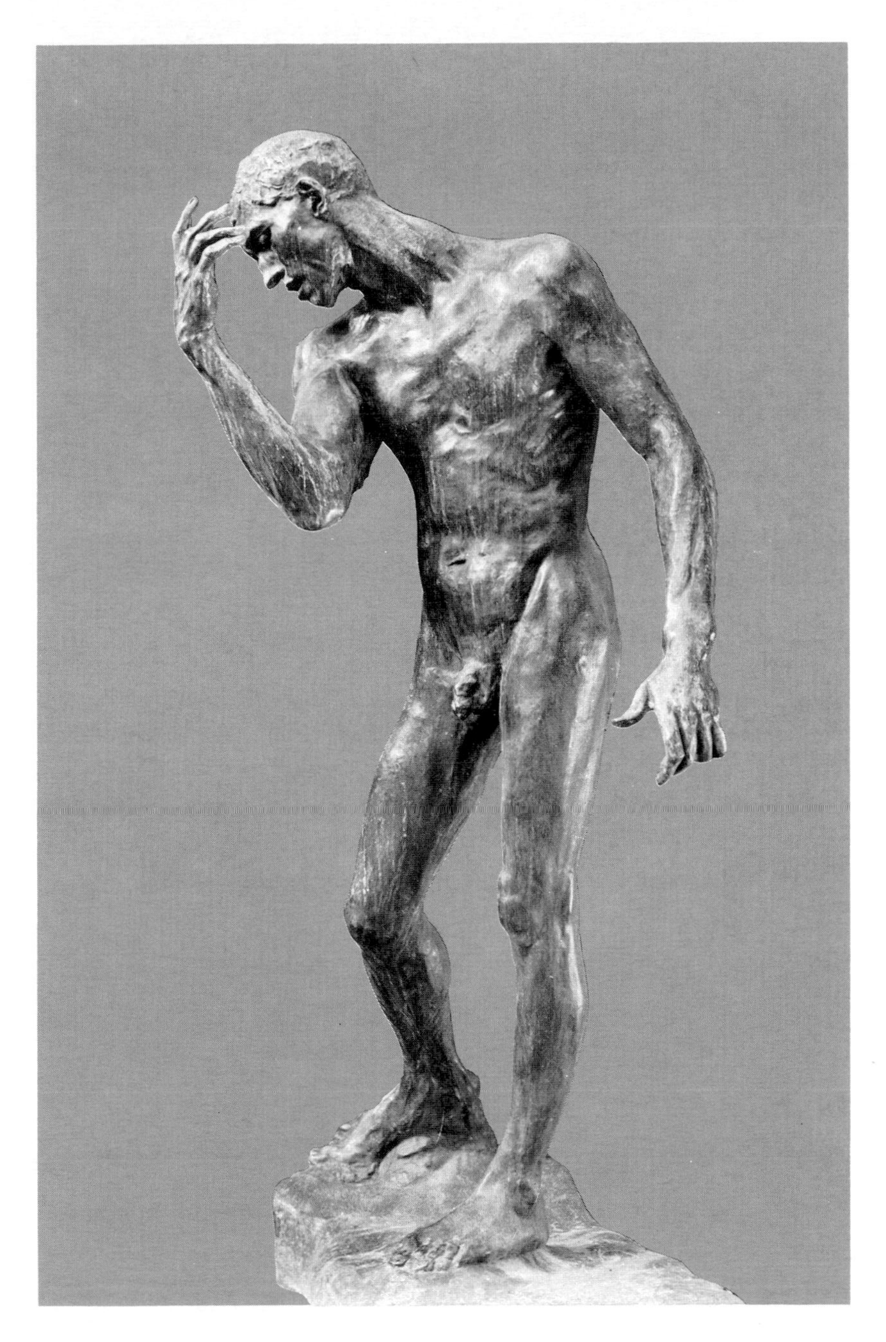

PIERRE DE WISSANT

Il va établir une nouvelle maquette agrandie. Il calcule ses prix, soit trente-cinq mille francs. « Ce n'est pas cher, écrit-il, car le fondeur ne me prendrait pas plus de douze à quinze mille francs, et mettons cinq mille francs pour cette pierre du pays qui ferait la base. »

Le comité ne discute pas les prix mais, encore une fois, la conception même du monument. « Ce n'est pas ainsi que nous nous représentions nos glorieux concitoyens se rendant au camp du roi d'Angleterre. Leur attitude affaissée heurte notre religion... La silhouette du groupe laisse à désirer sous le rapport de l'élégance. L'auteur pourrait mouvementer davantage le sol qui porte ses personnages et même rompre la monotonie et la sécheresse des lignes extérieures en variant les tailles des six sujets... Nous remarquons qu'Eustache de Saint-Pierre est couvert d'une étoffe aux plis trop épais pour représenter le costume léger que lui accorde l'histoire... Nous croyons devoir insister auprès de M. Rodin pour l'engager à modifier les attitudes de ses personnages et la silhouette de son groupe. »

Ces critiques irritent le sculpteur et il y répond par une longue lettre qui, bien que désordonnée, prend une valeur de manifeste. Ce n'est pas aux membres du comité qu'il s'en prend mais aux faux principes dont ils sont les inconscients défenseurs. Ils ne comprennent pas qu'en lui imposant des corrections « ils châtreraient son œuvre ». Ils ne comprennent pas non plus qu'il a commencé le travail des nus « qui est considérable » et, surtout, qui est pour lui l'essentiel.

« A Paris, malgré la lutte que je soutiens contre la mode de la sculpture d'Ecole, je suis libre dans ma Porte; je serais heureux si j'étais responsable dans le Saint-Pierre. »

Le maire Dewavrin, grâce à une intervention de Jean-Paul Laurens, finit, non sans peine, par enlever le morceau.

Et Rodin continue son travail dans l'atelier du boulevard de Vaugirard tandis que, parallèlement, il poursuit le modelage de ses maquettes destinées à *la Porte* au dépôt de la rue de l'Université. A vrai dire c'est d'elle dont on parle le plus et qui intrigue le Paris des arts. Le sculpteur reçoit chaque samedi dans son atelier et ses visiteurs découvrent, répandues au pied du cadre d'architecture de *la Porte* montée dans ses vraies dimensions, une foule d'ébauches

BOURGEOIS DE CALAIS. DÉTAIL

BOURGEOIS DE CALAIS. DÉTAIL

TÊTE DU BOURGEOIS À LA CLÉ

qui ne sont parfois que des masses informes mais dont le geste et l'élan sont saisissants.

Boulevard de Vaugirard, Rodin est aux prises avec ses nus des *Bourgeois* qu'il reprend et modifie constamment. Les maquettes successives de l'ensemble témoignent qu'il a des difficultés à grouper les six personnages[14]. Leur disposition est d'abord peu cohérente, peu significative et il n'aboutira qu'après de longues recherches au cours desquelles les structures seront transformées et les expressions transfigurées. C'est peu à peu qu'il arrive à construire ses personnages qui — c'est dans le contrat — doivent mesurer deux mètres.

Le maire de Calais, qui porte toute la responsabilité, commence à s'inquiéter. Voilà plus d'un an que la commande est passée. Où en est le monument? Rodin lui donne des explications qui ne sont guère pour le rassurer : « Ainsi, cela n'avance guère, mais la qualité sera bonne. J'ai envoyé un des *Bourgeois* à Bruxelles où j'ai eu un grand succès; je l'enverrai probablement à l'Exposition Universelle, mais l'ensemble du monument ne sera prêt qu'à la fin de cette année. Tous les monuments que l'on fait faire maintenant, on ne donne pas assez de temps, aussi, tous sans exception sont mauvais. Beaucoup moulent sur nature, c'est-à-dire remplacent un objet d'art par une photographie. Cela va vite, mais n'est pas de l'art. Espérons que vous me laisserez le temps. »

Ensuite, c'est la municipalité, dont le budget est en mauvaise posture, qui est défaillante. (On n'avait versé au sculpteur que de modestes avances). Le groupe en plâtre est presque terminé. En attendant des jours meilleurs, Rodin l'a rangé dans une écurie louée rue Saint-Jacques. Il y restera durant sept ans. A l'exposition de 1889, *les Bourgeois de Calais* font sensation. Même des adversaires de Rodin viennent lui dire leur admiration. Quelques critiques mais, en général, le public, d'abord étonné, est subjugué. Les Calaisiens organisent une tombola, dont les résultats sont très insuffisants. Des amis interviennent près des Beaux-Arts qui accorderont une subvention de cinq mille trois cent cinquante francs.

Enfin, dix ans après les premiers projets, en 1895, le monument est inauguré. Chautemps, ministre des Colonies, représente le gouvernement. Roger Marx, inspecteur des Beaux-Arts, représente Poincaré, et prononce un discours d'une belle élévation.

Pour Rodin, la bataille n'est cependant pas tout à fait gagnée. Après avoir voulu que son groupe fût disposé sur un haut massif d'architecture où les personnages se seraient découpés dans le ciel, des objections l'avaient obligé à renoncer à cette idée. Il se trouve alors amené à souhaiter tout le contraire : mieux, il demande que le monument soit placé au centre de la ville, sur une dalle presque à hauteur des piétons.

PAYSAGE DE BELGIQUE

Les Calaisiens rejettent aussi cette proposition qui leur paraît ridicule, et même scandaleuse. On construit un socle de dimension courante, entouré par surcroît d'une grille mesquine et inutile.

Il est curieux de constater combien les idées de l'artiste, dont la rapidité d'exécution stupéfait, furent lentes à s'imposer. Ce n'est que vingt-neuf ans plus tard, en 1924, que *les Bourgeois de Calais* furent transportés sur la place d'Armes, au niveau du sol et comme mêlés à leurs concitoyens vivants, ainsi que l'avait voulu Rodin[15].

Comment l'artiste est-il arrivé à composer ce spectacle qui, dépassant l'anecdote, a pris une sorte de grandeur tragique qui se rapproche du drame antique par sa puissance intemporelle ? Il avait d'abord lié les six personnages en groupe serré, assez confus, et chacun, par sa fierté d'expression était héroïsé. Il reconnut son erreur. Ces bourgeois n'étaient-ils pas des individus distincts par leur tempérament, par leur caractère, leur force d'âme ou leurs faiblesses ? Il imagina donc ce que pouvaient être Eustache de Saint-Pierre, Jean d'Aire, Jacques et Pierre de Wissant et leurs deux compagnons. Leur attitude, les traits de leur visage, leurs mains, leurs pieds, leur corps tout entier nous les dépeint avec une extrême acuité. Nous ne savons rien de ses modèles, sinon que le fils du sculpteur, Auguste Beuret, posa pour le visage du « bourgeois à la clef », certainement fort transposé. Il n'est probablement aucune œuvre de Rodin où la part de l'imagination ait été aussi importante.

Ces hommes se montrent à nous à l'instant de leur départ pour le camp du roi d'Angleterre où sera décidé de leur sort, et tout annonce leur mort prochaine. Nul ne peut deviner que la reine, émue aux larmes, demandera leur grâce. Eustache de Saint-Pierre, au centre, attire en premier le regard. C'est un vieillard au corps lassé, le buste tombant, de grosses mains gourdes, la corde au cou semble préparée pour la pendaison, toute la décision résignée se concentre dans le masque bossué, à la fois résolu et exténué, et dans un regard pensif qui semble voir au-delà du monde. Le visage de Pierre de Wissant, les yeux mi-clos, le front barré de plis, exprime la douleur et l'effroi. Un autre, jeune et beau, s'est arrêté. Il se retourne et fait un geste d'adieu vers la ville, vers une femme abandonnée, on ne sait, un geste étrange, peut-être inconscient, le bras à peine levé, les doigts écartés, un geste qui est moins de désespoir que de simple abandon à la fatalité. Un autre, les pieds enracinés au sol rugueux, l'énorme clé de la ville empoignée à deux mains, garçon robuste, l'œil perçant, la mâchoire serrée, le profil d'aigle, le corps bandé, semble personnifier la crânerie. Un autre, plus jeune, le dernier de cette procession solennelle, s'est pris la tête entre les mains, saisi par l'anxiété : il ne veut pas mourir encore.

« Ce n'est pas ainsi que nous nous représentons nos glorieux concitoyens » avaient dit les membres du comité.

Pour les grouper, Rodin avait renoncé à la composition touffue et pyramidante. Il avait isolé chaque figure, et en avait fait deux groupes irréguliers, en maintenant toutefois pour chacune d'elles, une hauteur égale.

LES BOURGEOIS DE CALAIS. DÉTAIL

Il est vrai que le spectateur n'arrive pas, quelque soit le point où il se place, à découvrir le groupe dans sa totalité. Mais Rodin a fait mieux que cela. Il a réuni ses personnages par un invisible lien qui émane de l'égale force plastique de chacun d'eux et anime tout l'espace où ils se meuvent.

« L'auteur pourrait... rompre la monotonie et la sécheresse des lignes extérieures en variant les tailles des six sujets » avaient dit les membres du comité.

L'unité est assurée par les grandes verticales des drapés qui sillonnent profondément les épaisses robes de bure et laissent seulement paraître, çà et là, dans l'entrebâillement du vêtement la musculature d'une jambe.

Les membres du comité avaient fait remarquer « l'étoffe aux plis trop épais pour représenter le costume léger que lui accorde l'histoire ».

Tout ce qui avait été considéré comme des défauts à rectifier, Rodin en a fait des éléments de grandeur. Il a renoncé aux grands gestes, à toute rhétorique grandiloquente, afin d'exprimer les états d'âme par l'intérieur et dans l'au-delà.

On a voulu comparer cet art à celui des imagiers du Moyen Age, à celui de Sluter, à celui des sculpteurs de calvaires. Non. Tout est neuf. C'est du Rodin. Alors que les Cènes, les Descentes de croix, les Mises au tombeau rassemblent des personnages diversifiés autour d'une figure centrale qui est celle du Christ, ici il n'est pas de figure centrale. Ces pauvres otages expriment l'humanité souffrante entraînée par une force invisible : c'est l'esprit civique qui les anime et commande leur volonté.

« Rodin a transformé et agrandi son sujet, écrira Gustave Geffroy. Son art n'a jamais été plus complet. Il a sculpté, car il faut qu'on sache la conscience apportée à ces travaux, il a sculpté les nus avant de songer à aucun arrangement de draperies, il a mis sous ces voiles des charpentes, des systèmes nerveux, tous les organes de la vie, des êtres de chair et de sang. Il a marqué son œuvre des caractères indispensables à sa destination. Mais, ceci fait, il est allé, comme toujours, vers l'expression durable, vers le symbole, vers la synthèse. »

Et Mirbeau pourra conclure par le plus grand éloge qui puisse être fait d'un sculpteur contemporain : « Son génie, ce n'est pas seulement de nous avoir donné d'immortels chefs-d'œuvre, c'est d'avoir fait, sculpteur, de la sculpture, c'est-à-dire d'avoir retrouvé un art admirable et qu'on ne connaissait plus. »

Il éprouve manifestement le besoin de se sentir débordé de travail. Bien des sculpteurs aiment laisser leurs œuvres refroidir et les reprendre quelques mois ou quelques années plus tard. C'était le cas de Despiau qui, pendant quinze ans, jusqu'à sa mort, corrigea presque chaque jour, de façon imperceptible, son *Apollon*. Et c'est aussi le cas de peintres comme Bonnard, jamais satisfait, auquel il arrivait de retoucher puis de reprendre presque entièrement des tableaux oubliés depuis vingt ans dans une réserve d'atelier.

Le nombre des ateliers de Rodin, on a pu penser que c'était une manie, une prodigalité ou une vanité. Ils étaient surtout une nécessité. La multiplication de ses ébauches, le nombre des œuvres ou des fragments qu'il faisait mouler, les maquettes grandeur nature de ses projets de monuments provoquaient des encombrements en rapport avec l'accélération de son travail.

Nous avons dit qu'il menait de front *la Porte de l'Enfer* inépuisable ouvrage, et *les Bourgeois de Calais*. Et au cours même de l'élaboration de ce drame intérieur, il créait, d'une inspiration tout autre, des œuvres mineures mais d'une extrême sensibilité, comme *l'Eternel Printemps*, *Daphnis et Lycénion*, *Pomone*, *Psyché* et son fameux groupe *le Baiser*, le plus populaire, où l'amour physique s'exprime avec tant de tendresse et d'éclat que la photographie en est volontiers choisie aujourd'hui pour servir d'illustration et couvrir de l'autorité du grand art des écrits sur la sexualité. Et cette même année 1886 est encore celle où il recevra la commande du monument de Victor Hugo, destiné au Panthéon, où les funérailles avaient eu lieu l'année précédente. Le poète était entré dans une gloire officielle et populaire sans précédent, l'engagement politique rejoignant le génie littéraire considéré comme un demi-dieu, nul autre que Rodin ne paraissait mieux qualifié pour en éterniser l'image : il l'admirait, il venait d'en faire un très beau portrait et le tumulte verbal de

L'ÉTERNEL PRINTEMPS

L'ÉTERNEL PRINTEMPS

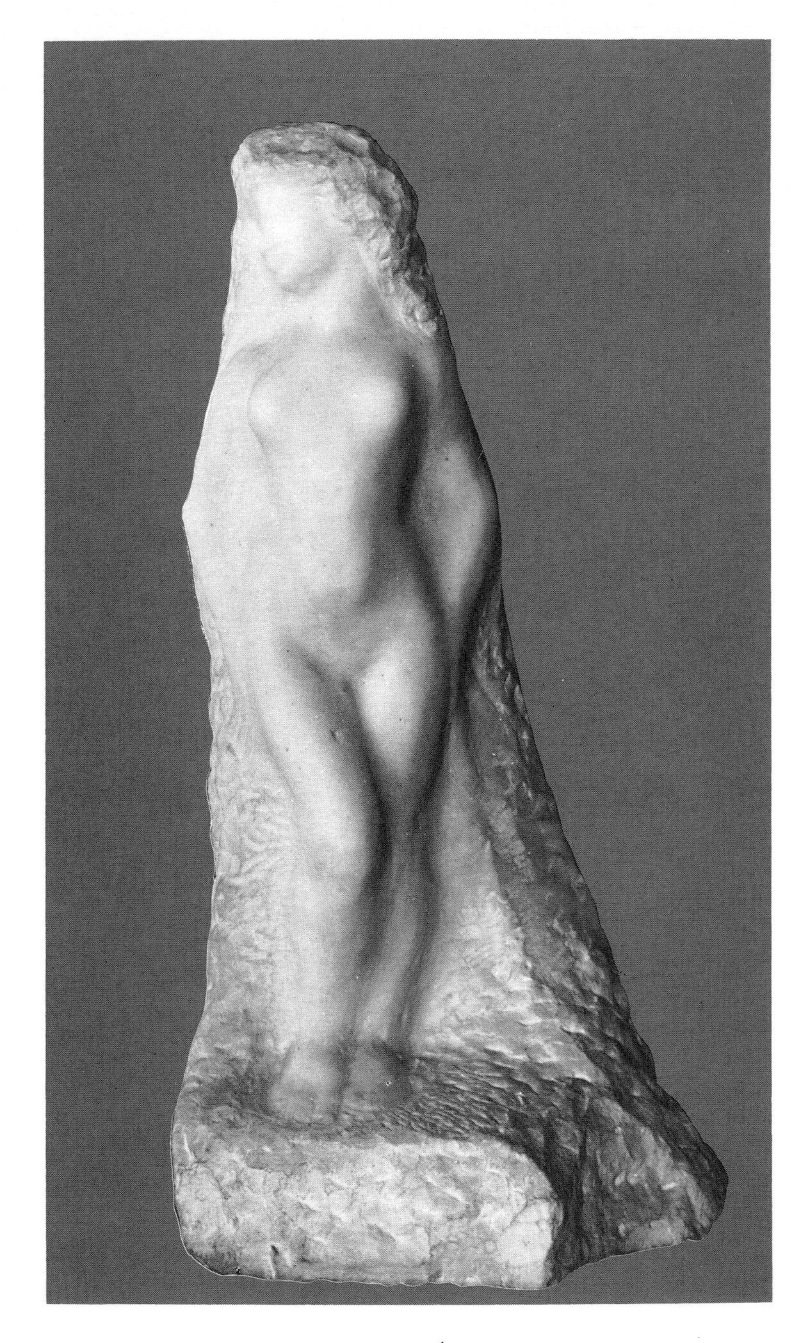

PSYCHÉ

l'écrivain trouvait dans son œuvre de sculpteur d'infinies résonances.

C'était un honneur incontestable que d'être choisi : un hommage à Victor Hugo ne pouvait être confié qu'à un sculpteur digne de ce génie, en principe au plus grand parmi les plus grands. Dalou, chantre patenté de la République, s'était mis sur les rangs — ce qui amena la rupture définitive avec Rodin. Il avait présenté un projet ambitieux où il prétendait traduire l'œuvre multiforme de l'écrivain par des figures allégoriques entortillées qui déplurent beaucoup à la commission des Beaux-Arts. Son projet fut éliminé sans recours.

Délaissant ses autres ouvrages, Rodin se précipite sur celui-ci. Ses lectures lui montent à la tête et leur afflux est si impétueux qu'il a beaucoup de mal à trouver la formule qui lui permettrait de s'exprimer en plasticien. Les projets s'accumulent, au nombre d'une douzaine; il paraît submergé ; il n'arrive pas à faire les éliminations et la synthèse nécessaires. L'auteur de *la Légende des siècles,* le dieu de la poésie, doit incontestablement être représenté nu. Il doit s'appuyer sur le rocher de l'exil face à la mer invisible. Des muses descendent en grappe de l'Olympe pour lui insuffler la musique de son lyrisme.

Rodin n'est pas l'homme de ce genre d'allégories. Ces femmes puissantes restent des femmes et, malgré ses tentatives indéfiniment recommencées au crayon ou dans la glaise, il n'arrive pas à les mettre en place. Puis il n'en garde que deux, *la Muse tragique* et *la Voix intérieure*, évocations magistrales, mais dont la participation au rythme monumental reste encore indécise.

Les membres de la commission des Beaux-Arts sont offensés à la vue de ce vieillard qu'ils ont rencontré et qui se présente maintenant à eux dépouillé de tous ses vêtements. Pourquoi est-il assis, alors qu'il doit faire pendant à la statue de Mirabeau qui, bien entendu, est debout? Rodin a oublié qu'il ne s'agit pas d'un monument de plein air, mais que celui-ci doit figurer dans une église qui, encore que désaffectée, oblige par sa décoration à certaines lois d'ensemble, à certaines servitudes. Son projet est rejeté à l'unanimité.

Nous verrons plus loin quels furent les avatars de ce *Victor Hugo.*

La déception fut rude à coup sûr. Mais d'autres projets l'occupaient. Tous ces êtres qui hantaient son esprit devraient bien s'exprimer

PORTRAIT DE VICTOR HUGO DE TROIS QUARTS

ÉTUDE POUR LE MONUMENT DE VICTOR HUGO

MONUMENT DE CLAUDE LORRAIN

un jour et prendre place dans *la Porte de l'Enfer*.

Son ami le critique Roger Marx, originaire de Nancy, le prévient qu'un concours a été organisé en vue d'élever un monument à Claude le Lorrain dans la capitale de la Lorraine. Si le peintre a passé presque toute sa vie à Rome et si sa peinture est romaine, il est né près de Charmes, dans les Vosges, et ses compatriotes tiennent à célébrer sa gloire.

Rodin voit tout de suite l'idée de son sujet. Il se rend chez Desbois, prend de la glaise et, sans même se débarrasser de son haut-de-forme, modèle en trois quarts d'heure une esquisse de soixante centimètres qu'il demande à son collaborateur d'exécuter en double grandeur. Claude est représenté marchant d'un pas léger, la palette à la main, vers le paysage de son choix. Le visage est spirituel et fin. Sur le socle, dont les courbes cherchent à s'harmoniser avec le style des palais de Stanislas, les chevaux d'Apollon, traités en bas-relief, jaillissent dans la lumière.

Si certains morceaux ont reçu la marque du génie, l'ensemble n'en est pas moins décevant. Parce que le jury en trouvait la sculpture maladroite (!) les chevaux d'Apollon avaient dû être retouchés, ce qui n'arrangeait rien. Le peintre statufié, chaussé de bottes de mousquetaire, juché sur un socle trop haut pour sa taille, a l'air d'un petit personnage de théâtre historique. En somme, rien n'est à l'échelle.

Il s'en fallut de deux voix pour que le projet fût refusé, mais pour d'autres raisons que celles que nous venons d'énoncer; elles se référaient surtout aux conventions de la statuaire du XIXe siècle. Roger Marx avait trouvé un allié persuasif à Nancy en la personne de Gallé, le précurseur du *modern style,* dont on commençait à voir paraître les pâtes de verre coloré.

Placé dans une grande pelouse du jardin de la Pépinière, les qualités du monument ne peuvent être appréciées. L'auteur lui-même n'en fut d'ailleurs jamais très satisfait. S'il avait parfaitement conscience de sa valeur, il a toujours su se juger, ce qui n'est pas très courant. Il récusait ou brisait ce qu'il croyait indigne de lui. Si la statue de Claude Gellée n'eût pas été coulée en bronze, et si elle lui avait encore appartenu, elle aurait eu le même sort, vraisemblablement.

Lorsqu'en 1889 Monet prit l'initiative d'une souscription destinée à offrir à l'Etat *l'Olympia* de Manet, dont on sait avec quelles railleries et vitupérations elle avait été accueillie au Salon de l'année précédente, Rodin est parmi les souscripteurs en compagnie de Renoir, Pissarro, Puvis de Chavannes, Degas, Fantin-Latour, Toulouse-Lautrec, etc. Les sculpteurs, en général, s'étaient abstenus. Rodin avait voulu répondre à l'appel amical de Monet mais aussi témoigner de sa solidarité antiacadémique. Il ne s'était inscrit que pour vingt-cinq francs pour cette souscription qui devait atteindre la somme fabuleuse de vingt mille francs. Il s'en excusait : « C'est pour mettre mon nom. Je suis dans une crise d'argent qui ne me permet pas plus. »

Crise d'argent! Pendant plusieurs années encore il y aura des crises d'argent dans la maison Rodin, qui continue à survivre chichement. Les gains passent dans la location des ateliers, le règlement des mouleurs et des praticiens (il emploie les meilleurs), dans l'achat des matériaux (les blocs de marbre sont toujours de grande qualité). Il était accaparé par sa sculpture, n'avait d'autre distraction et ne se sentait pas le moinde désir d'en chercher. Les parlotes de cafés n'étaient pas son affaire. Avec le succès, il ne se montrera sans doute pas insensible à certaines mondanités, mais il les considérait comme un complément nécessaire de sa vie professionnelle.

Les sculpteurs ont plus de difficulté à vendre que les peintres. Ils doivent quêter directement la clientèle. Si l'Etat et les collectivités publiques sont aujourd'hui leurs clients presque exclusifs, c'était déjà vrai, pour une grande part, à la fin du siècle dernier. Ils n'ont que rarement, comme les peintres, des marchands pour s'occuper d'eux. Rodin, qui mène un combat de libération analogue à celui des impressionnistes, ne bénéficiera pas de l'aide d'un propagandiste passionné comme Durand-Ruel qui organise à ses frais des expositions de tableaux jusqu'aux Etats-Unis sans presque jamais arriver à en tirer bénéfice. Il doit compter sur lui et sur ses amis pour trouver des débouchés.

Rodin et Monet étaient, à deux jours près, contemporains. Tous deux, d'origine plébéienne, avaient eu à endurer une jeunesse besogneuse où l'énergie et l'effort étaient mal récompensés. Toutefois, tandis que Rodin poursuivait son chemin, résigné et sans plainte, Monet, à chacun de ses échecs, explosait, fulminait, tout en gardant son fonds de gaieté. Différents de caractère, ils étaient semblables par leur égale ferveur pour leur art et par leur aversion pour le conformisme : l'amitié qui naquit resta sans nuage.

Presque tous les artistes qui faisaient alors souffler un vent de révolution étaient des bourgeois, ou même de grands bourgeois, comme Manet ou Degas, sans parler du comte Henri de Toulouse-Lautrec Monfa. Comme Renoir, Monet, qui avait bénéficié d'une bourse pour continuer ses études, était sorti du peuple. Rodin, malgré la différence de caractère, s'en trouvait proche.

Le peintre s'était installé à Giverny en 1883. C'est là que Rodin rencontra Renoir, qui venait en voisin de sa petite maison de La Roche-Guyon, le visage ébloui, ne sortant de sa réserve que pour lancer quelques boutades qui allumaient son petit œil malicieux; puis Clemenceau, grand admirateur de Monet, auquel il consacra un livre, qui aimait se reposer du combat politique parmi ces êtres simples et ces fêtes de la couleur. Un jour, on reçoit la visite de Cézanne, paralysé par sa timidité. Geffroy a raconté la rencontre : « Il n'est pas fier M. Rodin, dit Cézanne, il m'a serré la main : un homme décoré! »

En 1889, une exposition réunit les œuvres de Rodin et celles de Monet à la galerie Georges Petit, la plus luxueuse de Paris. C'est un événement. De hautes personnalités, des gens du monde la visitent, et sans ricaner. Monet a envoyé soixante-dix tableaux. Jamais un impressionniste n'a encore recueilli un tel hommage public.

Rodin expose trente-six pièces dominées par le groupe des *Bourgeois de Calais* qui fait une impression profonde sur les visiteurs.

Le catalogue est préfacé par leurs deux plus illustres thuriféraires : Mirbeau et Geffroy. Et dans le compte rendu de *l'Echo de Paris,* Mirbeau concluera : « Ce sont eux qui dans ce siècle incarnent le plus glorieusement, le plus définitivement, ces deux arts : la peinture et la sculpture. »

La vision de Rodin est proche de celle de Monet. Bien que de tempéraments opposés leurs échanges amicaux furent toujours sincères et féconds.

Sans pousser trop loin l'assimilation, on peut dire que Rodin appartient par l'esprit au mouvement impressionniste. Il cherche avant tout à capter la lumière. Cette lumière de plein air que les impressionnistes veulent restituer par la décomposition des couleurs, il veut l'atteindre par la décomposition des surfaces. Il est moins soucieux de précision anatomique que de répandre les légers reliefs qui accrochent les vibrations lumineuses. Ce qui était annoncé dans les brèves ondulations qui parcouraient le corps nu de *l'Age d'airain* nous le retrouverons avec plus d'ampleur et de force dans *Balzac.* Dans l'un et l'autre cas la sculpture vit de son irradiation. C'est pourquoi les œuvres de Rodin « tiennent » si bien en plein air. Le sculpteur aimait même leur faire affronter les intempéries pour connaître leurs réactions.

Il n'est guère que l'Italien Menardo Rosso pour avoir voulu traduire en sculpture les recherches de l'Impressionnisme. Son œuvre a beaucoup intéressé Rodin, et quand Rosso veut exposer à Paris au Salon de la Nationale et qu'on cherche à l'exclure, il menace de donner sa démission de président du jury. On a cherché à Rodin de mauvaises querelles en prétendant qu'il avait emprunté au sculpteur italien, alors que celui-ci, pour arriver à traduire ses impressions, cherchait un angle de vue privilégié (on s'en aperçoit devant les photographies de ses sculptures qui ressemblent à des tableaux). Le contraire de ce que faisait Rodin.

En somme, il n'était pas dans la nature de Rodin d'appliquer des théories, impressionnistes ou autres. Ce sont les manifestations spontanées de son tempérament qui l'ont porté vers un art brûlant qu'il anima d'un feu nouveau.

Je produis lentement

Rodin dans son atelier. Rares sont les grands artistes qui ne cherchent pas à envelopper leur activité créatrice de quelque mystère. Soit par pudeur, soit pour se placer en retrait ou au-dessus de l'humanité courante, ils laissent croire assez volontiers qu'un souffle surnaturel anime les effusions de leur génie. Rodin, au contraire, tout en réinventant l'art de la sculpture, explique comme une chose très simple la façon dont il procède. On dirait même qu'il veut démontrer qu'il n'est rien d'indéchiffrable, rien d'inaccessible dans l'accomplissement d'une œuvre qui dépasse les données habituelles et dans les conditions qui permettent de la produire.

Au cours des propos recueillis de sa bouche par ses admirateurs, il s'est livré avec une totale franchise. Jamais de grands mots. Jamais d'allusions sibyllines. Aucun recours à ces élans de la subconscience dont il est d'usage, dans toutes les disciplines de la pensée, d'orner ce qui apparaît comme un signe exceptionnel de grandeur. On pourrait penser à l'entendre que ces germinations sublimes ne sont dues qu'à des recettes bien comprises et à de bonnes pratiques de métier. Avec lui, c'est toujours du bon sens, du quotidien. Tout semble facile.

Voyons donc quels procédés il emploie, ceux qu'il décrit comme les actes ordinaires de sa vie. Suivons le processus de la création depuis la fécondation et l'embryon jusqu'au coup de pouce définitif. Il nous a tout enseigné par le détail avec la simplicité du maçon qui explique la construction d'une maison.

Il n'était pas un discoureur. Ses propos ont été mis en forme par ses interlocuteurs. S'ils présentent un intérêt capital c'est parce qu'ils expriment la pensée d'un artiste d'une exceptionnelle envergure et parce que nous savons que ses méthodes ont engendré des chefs-d'œuvre. Mais que donneraient-elles, ces méthodes, en dehors de lui ?

Lorsqu'il a trouvé, au milieu de ses ébauches, celle qui, pour lui, est la « vérité », il commence par monter une « âme », c'est-à-dire une ossature de terre qu'il laisse se durcir et se dessécher. Sur cette préparation élémentaire, il modèle une terre toujours mouillée avec soin après le travail. L'application des boulettes étalées avec une adresse et une prestesse qui confondent ceux qui le voient travailler sont pour lui tâche exaltante. Cette animation des surfaces, ces jeux de la lumière et des ombres qui restituent l'image de la vie, c'est sa joie. Les études préparatoires ont cherché le mouvement. La sculpture, pour lui, est mouvement avant tout, l'expression définitive étant gagnée par le modelé. Mouvement et modelé sont le souffle et le sang des grandes œuvres. Quelqu'un l'interrogeant un jour sur ses sentiments religieux, il répond qu'il croit en Dieu parce que Dieu a créé le modelé.

Il emploie la méthode d'augmentation. C'est-à-dire qu'après les esquisses rapides il construit au tiers une maquette poussée, qu'il fait exécuter grandeur, après retouches successives, par un praticien avant l'opération définitive de la mise au point par un spécialiste.

« Je n'ai fait que copier le modèle. » Telle est la réponse déconcertante que Rodin adresse à ceux qui croient pouvoir découvrir un secret. Non, il n'a pas de secret. Et quand il répète : « Toujours le

IRIS, MESSAGÈRE DES DIEUX

contact avec la nature. Toujours chercher à se rapprocher du modèle », ce n'est pas manière de se débarrasser des opportuns.

« Devant le modèle, je travaille avec autant de volonté de reproduire la vérité que si je faisais un portrait; je ne corrige pas la nature; je m'incorpore en elle ; elle me conduit. Je ne puis travailler qu'avec un modèle. La vue des formes humaines m'alimente et me réconforte. J'ai pour le nu une admiration infinie, un culte. Je déclare nettement que je n'ai aucune idée lorsque je n'ai pas quelque chose à copier; mais quand je vois la nature me montrer des formes, je trouve de suite quelque chose qui vaut la peine d'être dit et même développé; quelquefois, chez un modèle, on ne croit rien trouver puis, tout à coup, un peu de nature se montre, une bande de chair apparaît et ce lambeau de vérité donne la vérité tout entière et permet de s'élever d'un bond jusqu'au principe absolu des choses[16]. »

Au vrai, sa manière de copier le modèle n'est pas du tout celle des académies. De même que le photographe moderne pour capter l'expression vivante d'un personnage ne l'oblige pas à la pose mais choisit entre des instantanés, Rodin, pour saisir au vol le mouvement de la vie, a toutes sortes d'exigences qui lui permettent de surprendre le modèle dans les attitudes les plus insolites. Et c'est parmi la multitude de ses croquis où le modèle est dessiné avec une extraordinaire vivacité sur toutes ses faces et dans toutes ses postures qu'il choisit les documents qui le conduisent à ses premières ébauches de mouvements fugitifs. Ce qu'il décrit comme chose simple dans ses propos est en réalité d'une extrême complexité. Il faut son œil enregistreur, et sa main naturellement habile, puis formée par des années et des années de travail, pour aboutir à ces transfigurations inimitables dont l'énergie se compose et de mouvement et de statique, cette statique qui est la plénitude de la sculpture.

Paul Gsell a décrit la façon dont il procédait : « Sa méthode de travail est singulière. Dans son atelier circulent ou se reposent plusieurs modèles nus, hommes et femmes. Rodin les paie pour qu'ils lui fournissent constamment l'image de nudités évoluant avec toute la liberté de la vie. Il les contemple sans cesse, et c'est ainsi qu'il s'est familiarisé de longue date avec le spectacle des muscles en mouvement. Le nu, qui pour les modernes est une révélation exceptionnelle, et qui, même pour les sculpteurs n'est généralement qu'une apparition dont la durée se limite à la séance de pose, est devenu pour Rodin une vision habituelle. Cette connaissance coutumière du corps humain, que les anciens Grecs acquéraient à contempler les exercices de la palestre, le lancement du disque, les luttes au ceste, la pancrace et les courses à pied, et qui permettait à leurs artistes

ÉTREINTE

DEUX FEMMES NUES, LA NOIRE ET LA BLANCHE

de parler naturellement le *langage du nu,* l'auteur du *Penseur* se l'est assurée par la présence continuelle d'êtres humains dévêtus qui vont et viennent sous ses yeux. Il est arrivé de cette façon à déchiffrer l'expression des sentiments sur toutes les parties du corps. Le visage est généralement considéré comme le seul miroir de l'âme; la mobilité des traits de la face nous semble l'unique extériorisation de la vie spirituelle. En réalité, il n'est pas un muscle du corps qui ne traduise les variations intérieures. Tous disent la joie ou le désespoir, la sérénité ou la fureur. Des bras qui se tendent, un torse qui s'aban-

SOUFFLE

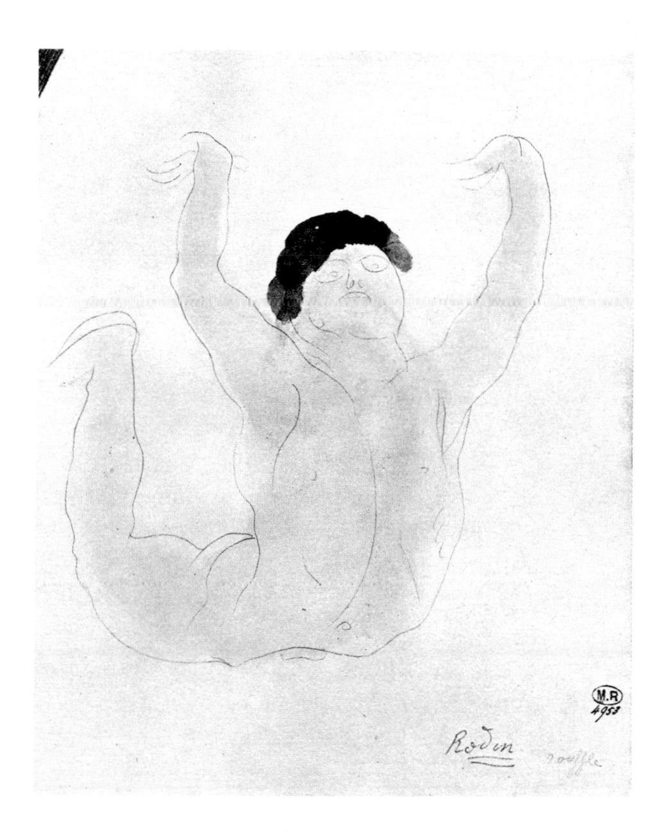

donne sourient avec autant de douceur que des yeux ou des lèvres. Mais pour pouvoir interpréter tous les aspects de la chair, il faut s'être entraîné patiemment à épeler et à lire les pages de ce beau livre. C'est ce que firent les maîtres antiques aidés par les mœurs de leur civilisation. C'est ce qu'a fait Rodin de nos jours par la force de sa volonté. Il suit du regard ses modèles; il savoure silencieusement la beauté de la vie qui joue en eux; il admire la souplesse provocante de telle jeune femme qui s'incline pour ramasser un ébauchoir, la grâce délicate de telle autre qui étire ses bras en soulevant sa chevelure d'or au-dessus de sa tête, la nerveuse vigueur d'un homme qui marche, et quand celui-ci ou celles-là *donnent* un mouvement qui lui plaît, il demande que cette pose soit gardée. Alors vite il prend son argile... et une maquette est bientôt sur pied; puis avec autant de promptitude, il passe à une autre qu'il façonne de même[17]. »

Les sculptures de Rodin semblent se mouvoir. C'est pour lui, encore une fois, question de métier. Ses modèles sont actifs. Ses croquis fixent le développement des attitudes. « Différentes parties de la sculpture représentées à des moments successifs, dit-il, donnent l'illusion de voir le mouvement s'accomplir. »

Les œuvres de Rodin, remarquons-le, comportent toujours une action plus ou moins accusée. Elles ne connaissent guère le repos absolu. « J'ai toujours essayé, dit leur auteur, à rendre le sentiment intérieur par la mobilité des muscles. » De *l'Age d'airain* au *Balzac* (figures en principe immobiles), nous voyons toujours une indication de geste ou la violente activité d'un feu intérieur exprimées par le modelé. A plus forte raison dans des statues comme celle d'*Iris, messagère des dieux*, contorsionnée jusqu'à l'invraisemblance, qui semble s'élancer dans l'air comme un projectile.

Il obtient ces résultats en appliquant sa méthode des profils. Il n'en fait pas mystère. Il la commente par le détail. Toutefois, il prévient charitablement ceux qui seraient tentés de l'appliquer, que cette méthode exigeant une observation et une exécution rigoureusement exactes du dessin, ils devront renoncer à la pratiquer s'ils ne sont pas de bons dessinateurs. « Lorsque je commence une figure, je regarde d'abord la face, le dos, les deux profils de droite et de gauche,

FEMME NUE ALLONGÉE

TOILETTE DE VÉNUS

c'est-à-dire ses profils dans les quatre angles; puis, avec la terre, je mets en place la grosse masse telle que je la vois et le plus exactement possible. Je fais ensuite les intermédiaires, ce qui donne les profils vus des trois quarts; puis tournant successivement ma terre et mon modèle, je les compare entre eux et je les épure. Dans un corps humain, le profil est donné par l'endroit où le corps finit; c'est donc le corps qui fait le profil. Je place le modèle de manière à ce que la lumière se découpant sur le fond, éclaire ce profil. Je l'exécute, je tourne ma selle et celle de mon modèle, j'en vois ainsi un autre, je tourne encore, et suis ainsi conduit successivement à faire le tour du corps. Je recommence; je serre les profils de plus en plus, et je les épure. Comme le corps humain a des profils à l'infini, je les multiplie autant que je le puis ou que je le juge utile. Regardant attentivement le modèle au moment où il pose exactement dans le mouvement que j'ai entendu traduire, je le prends dans le profil où il est; il importe de veiller attentivement à ce que le modèle revienne toujours dans le mouvement choisi par moi au point de départ pour qu'il me donne toujours les mêmes profils. En tournant ma selle, les parties qui étaient dans l'ombre se présentent à leur tour à la lumière; je vois donc nettement le nouveau profil qui est arrivé, car c'est toujours dans la lumière que je travaille ou du moins autant que je le puis. Pour les avoir plus exacts, je place ma terre et mon modèle dans les mêmes profils, toujours dans la lumière, de manière à ce que les profils du modèle et de ma terre se présentent simultanément et que je puisse bien les voir ensemble. Je me rends compte alors des différences qui existent entre les deux profils; je les rectifie s'il en est besoin. Je place donc le modèle dans les mêmes profils que ma terre et je les compare ou, le plus souvent, c'est moi qui le suis en faisant tourner ma selle; en fait, je fais une mise au point par l'œil au lieu de la faire avec un compas. Lorsque mes profils sont bien dessinés, j'ai la chance qu'ils soient justes, mais je n'en suis sûr que lorsqu'ils sont contrôlés les uns par les autres et tous ensemble. J'avais à peu près les mêmes profils dans ma première masse, mais plus le dessin de mes profils (j'entends par le mot « dessin » son tracé sur une terre) devient serré, plus ils se rapprochent, car les profils ne se rassemblent que lorsqu'ils sont très exactement dessinés et justement par rapport les uns aux autres. Il importe de regarder les profils de dessus et de dessous, d'en haut et d'en bas, de plonger sur les profils de dessous et de voir les profils qui plafonnent, c'est-à-dire de se rendre compte de l'épaisseur du corps humain. Du haut, je vois d'un crâne les profils des tempes, des zygomatiques, du nez, des mâchoires, toute la construction crânienne qui, vue de dessous, est ovoïde. Puis je vois et je compare avec ma terre le plan des pectoraux, des omoplates, des fesses; je regarde les muscles bondissants des cuisses; en bas l'implantation des pieds sur le sol. Quand je travaillais à *l'Age d'airain*, je m'étais procuré une de ces échelles dont les peintres se servent pour les grandes toiles; je montais dessus et mettais autant que je le pouvais d'accord mon modèle avec ma terre dans les raccourcis, et je regardais mes profils de haut. Je fais ce qu'on pourrait appeler du « dessin par profondeur » puisqu'en procédant comme je l'indique il n'est pas possible de faire plat. La réunion des profils justes, unis par des intermédiaires exacts, donne le modèle vrai. C'est peut-être là une géométrie un peu rude, comme tout travail réel, du reste, mais qui donne des résultats excellents[18]. »

Ce texte — un peu rude aussi — il fallait longuement le citer car il nous permet de comprendre pourquoi les statues de Rodin, quel que soit l'angle sous lequel on les regarde, sont également vraies et également belles, pourquoi nous n'y découvrons pas la moindre surface morte, pourquoi la vie circule avec la même intensité dans toutes les parties du corps, pourquoi un doigt de pied n'est pas moins personnalisé et significatif que l'un des traits du visage.

N'oublions pas que Rodin fut d'abord un artisan. Il connut la joie de l'effort qui se concentre pour faire jaillir de la masse informe la forme précise de l'œuvre imaginée. Il lui arrive de marquer fortement les oppositions en laissant visible, pour les parties de son œuvre qui ne sont pas essentielles, la matière à peine dégrossie. Parfois, dans ce qui est improprement nommé un buste, la tête seule, traitée avec des délicatesses infinies, émerge de cette pierre non travaillée qui ressemble à un rocher. Certaines pièces, comme *la Pensée*, doivent beaucoup de leur pouvoir à ce contraste. Dans les tombeaux

LA PENSÉE

L'AURORE

inachevés de San Lorenzo, il avait vu que les parties inachevées contribuaient à l'exaltation des autres. Alors que Michel-Ange avait abandonné le marbre parce qu'il n'avait pas eu le temps d'aller au bout de sa tâche, Rodin suit cet exemple par système. Les délicatesses du modelé bénéficient d'un repoussoir qui met encore plus en évidence l'habileté du sculpteur.

L'habileté! C'est un mot que Rodin, lui tellement habile, n'aime guère, et il rend l'habileté — du moins au sens où il l'entend — responsable des facilités et du brio avec lesquels tant de sculpteurs remportent d'injustes succès; ils ne voient et ne restituent que la surface, leurs statues sont des sacs vides : « Il faut se méfier de l'habileté. On entend généralement par le mot « habileté » cette manière adroite avec laquelle, au lieu d'aborder franchement une difficulté, on la tourne en faisant croire qu'on la surmonte; on remplace ainsi la réalité par l'apparence. Pour moi, j'avais, dès ma jeunesse, une main d'une prodigieuse vitesse. Je pourrais faire vite, si je le voulais; mais je produis lentement pour faire bien. Il n'était pas, du reste, de ma nature de me presser. Je réfléchis plus, je veux plus. L'artiste doit être un homme de science et de patience[19]. »

On a le droit de s'étonner à lire ces mots : « je produis lentement ». Le rythme de production de Rodin est extraordinaire. Sa main, il le dit, est d'une « prodigieuse vitesse ». Les plâtres, terres cuites, bronzes, marbres et les innombrables ébauches qui emplissent le musée de la rue de Varenne, avec sa chapelle et son jardin, et celui de Meudon, et les salles des musées, sans parler de tout ce qui a été cassé volontairement ou au cours des incessants et dangereux déménagements, de ce qui a été perdu, de ce qui ne fut pas recensé, tout cela implique une stupéfiante rapidité d'exécution.

Néanmoins, dans un autre sens, c'est vrai qu'il produit en certains cas avec lenteur; ses monuments sont étudiés, transformés tant de fois qu'il ne put à peu près jamais respecter le délai qui lui a été fixé, malgré son activité et sa force physique et une ardeur au travail qui est le but et le soutien de toute son existence.

Au fur et à mesure qu'il avance en âge, en gloire et en richesse, il s'entoure de collaborateurs de la plus grande valeur. Il a groupé autour de lui des élèves qui sont les meilleurs sculpteurs de ce temps, comme Pompon, Maillol, Bourdelle, Despiau, Hallou, Dejean et surtout Lucien Schnegg, qui lui fournit une aide constante, fidèle et dévouée au point qu'il en oublie son œuvre personnelle.

Il attache une grande importance à l'entretien de ses terres qui doivent toujours être recouvertes de linges mouillés afin d'offrir toute la souplesse nécessaire aux retouches. Pendant longtemps c'est Rose qui s'applique consciencieusement, après avoir préparé la glaise, à remplir cette tâche. Lorsqu'il séjournait au-dehors, ses lettres témoignent que c'était cela son plus grand souci.

Il ne peut exécuter de figure habillée sans avoir auparavant, par études successives, contruit la figure nue, et il ne recule devant aucun sacrifice pour embaucher le modèle qui lui paraît le mieux accordé au personnage qu'il veut représenter.

Ensuite, pour le vêtir, il se sert d'un peignoir imbibé de plâtre qu'il drape sur le corps nu. Le nombre des études pour *les Six Bourgeois de Calais* et surtout pour *le Balzac* témoigne du rôle qu'il accorde aux recherches d'équilibre du nu, à la vérité du mouvement et de la musculature. Le vêtement, bien qu'il soit, en définitive, la seule chose apparente, s'ordonne de soi-même. En somme, tout est construit de l'intérieur — même en donnant au mot son sens le plus profond — vers l'extérieur. L'habit n'est qu'une carapace qui dissimule l'homme naturel. Aussi bien, semble-t-il n'avoir jamais grand plaisir à sculpter autre chose que des nus. Il ne l'a fait que pour répondre à des programmes de statuaire publique imposés. C'est le nu qui constitue la presque totalité de son œuvre, et c'est le nu qui l'inspire tout entier.

Bien que toujours fidèle à ses méthodes, Rodin n'a cessé d'évoluer. Il ne s'agit point d'une évolution par sautes qui permettrait de distinguer au long de sa carrière des « périodes » et des subdivisions comme nous en faisons dans l'œuvre de van Gogh ou dans celle de Picasso. Son art est foisonnant et, au cours d'une même année, nous nous trouvons en face de sculptures qui seraient proches de la mièvrerie si elles n'étaient filles du génie, et d'autres qui sont d'une audace presque incroyable à son époque. Mais, à survoler l'ensemble de sa création, une ligne directrice apparaît avec évidence. Il a commencé

FEMME NUE, A MI-CUISSE ET SE DÉSHABILLANT

par la plus stricte imitation du modèle. Chaque partie du corps est modelée morceau par morceau avec un art subtil et précautionneux. Puis il s'est tourné vers des transpositions où l'outrance et la déformation de certaines parties expriment le mouvement essentiel et renforcent l'expression. Il se dirigeait ainsi vers un certain esprit de synthèse de plus en plus éloigné de la reproduction et qui devait mener, après lui, aux abstractions de l'art moderne. C'est ainsi que, par intelligence de son art, il s'est trouvé en butte aux éternelles incompréhensions des adversaires pour qui ses simplifications, sa « grossièreté », étaient témoignages d'ignorance ou d'impuissance. (Il leur eût pourtant suffi de se reporter en arrière, au temps où *l'Age d'airain* paraissait à quelques-uns trop habilement modelé, trop bien « fini », pour ne pas avoir été exécuté par moulage).

Au temps de l'affaire du *Balzac*, Mauclair commentait ce dualisme des apparences : « En même temps que M. Rodin, plus assuré dans sa route, encouragé par la gloire et le respect de l'élite, se risquait à montrer les œuvres directement régies par ce principe simple et inusité, il leur accolait, pour écarter les accusations faciles de négligence et d'ignorance, ces petits groupes en marbre de son ancienne manière, si parfaits, si savants, si finis pour le badaud, comme pour le professionnel habile. C'est ainsi qu'en face du *Balzac* il fit placer *le Baiser*, cette belle chose dont on vit jadis l'esquisse et qui nous revient terminée en marbre. C'était donner une leçon discrète et silencieuse au public, aux confrères et aux critiques, leur montrer l'étape parcourue, les assurer que pour modifier ainsi, à son âge, dans l'état de sa haute situation, tous les principes de son travail, l'artiste avait cédé à des raison profondes. On ne comprit point la leçon, et l'on sait ce qui en est advenu. »

C'est l'apanage des forts. De ceux qui possèdent en même temps la science et le lyrisme. Comme les Grecs, comme les maîtres de la Renaissance, a-t-il cherché le Beau idéal, absolu et définitif ? Dans tous les cas, il a trouvé sa véritable dimension dans la suggestion de la beauté.

Victor Hugo qui, selon les exigences d'un sculpteur, venait de subir des dizaines de séances de pose pour un résultat fort médiocre,

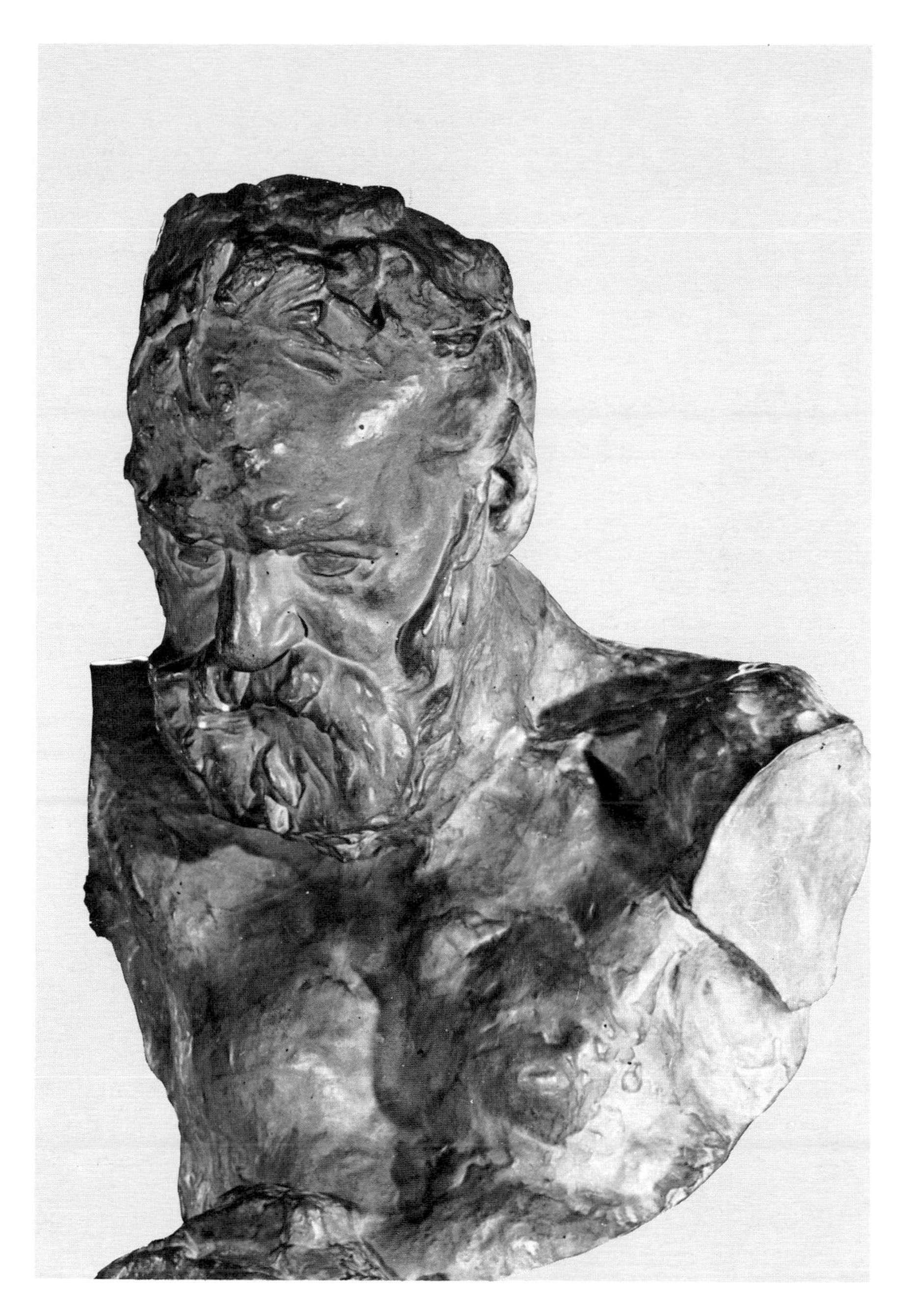

BUSTE DE VICTOR HUGO

ÉTUDE POUR LE MONUMENT DE VICTOR HUGO

n'accepta l'offre de Rodin que s'il n'avait pas à poser. Le buste admirable que nous connaissons a été exécuté dans des conditions de travail si scabreuses que bien peu d'artistes auraient pu s'en tirer. Mais, dans ces difficultés, les méthodes habituelles de Rodin trouvent leur justification. Rainer Maria Rilke nous l'a décrit aux prises avec son modèle fugitif : « Pendant les réceptions, dans l'encoignure d'une fenêtre, il observait et notait des centaines et des centaines de mouvements du vieillard et toutes les expressions de son visage plein de vie. » Une fois muni de son arsenal de dessins préparatoires, il allait modeler la terre déposée sur une selle au fond de la galerie. Puis un autre jour, il recommençait à dessiner son illustre modèle écrivant ou causant avec un visiteur.

En vérité, même lorsqu'il était assuré de pouvoir sculpter devant son modèle, Rodin ne procédait guère autrement. Un nu, un groupe surpris dans le mouvement de la vie étaient l'objet de multiples études. Et celles-ci devenaient parfois le prétexte d'autres dessins ou de lavis qui trouvaient en eux-mêmes leur raison d'être.

S'il considérait qu'une bonne sculpture nécessitait de nombreux dessins préalables, il attachait de l'importance à ses dessins en tant que tels. Parmi des milliers de pages il en avait choisi qui étaient ostensiblement placés dans la pièce où il recevait.

Il a célébré l'esquisse en termes qui semblent appliqués aux siennes : « Comment ne pas admirer une esquisse faite d'un jet, dans laquelle l'artiste a fixé le souvenir d'une émotion ressentie, d'une action vue ou comprise; dont l'expression saisissante a été rendue avec une sincérité absolue, sans atténuation, exagération ou réserve; où la sensation est entière et où la notation des valeurs de l'effet est aussi complète que dans le tableau? L'artiste a pu dire sa pensée, et presque sans effort. Une simple indication a livré l'esprit de l'œuvre et l'imprécision dans sa souplesse permet à l'imagination de celui qui regarde d'ajouter, complétant ainsi ce qu'a cherché l'artiste. »

Depuis ses premières académies minutieuses, jusqu'aux dessins tels qu'ils les a compris et voulus par la suite, l'évolution est totale.

Il a renoncé à la théorie scolaire qui commande de cerner l'objet d'un trait obtenu par épuration pour fixer son unité schématique et

BETHSABÉE

impassible. Il emploie son incomparable acuité de perception à suggérer le mouvement en s'emparant des aspects fugitifs. Ces « instantanés », recueillis sur des feuilles volantes, sont captés d'un jet à la pointe du crayon sans quitter des yeux le modèle, sans reprise et sans repentir.

Ils paraissent provenir d'un automatisme de la main déclenché par la vision subite du geste essentiel. Avec des couleurs très délayées il couvre la forme d'une teinte plate, parfois légèrement nuancée, parfois simple lavis de terre de Sienne, posant parfois un accent, ou encore à l'aide d'un morceau de craie, d'un coup de pouce noirci, indiquant un modelé avec prestesse et légèreté. Il acquiert une telle habileté à ce « jeu » qu'il couvre avec une allégresse inépuisable des pages et des pages qui reflètent les transparences des ciels.

Le primesaut du crayon ou du pinceau laisse libre cours aux audaces du dessinateur plus encore qu'à celles du statuaire. Les corps se ploient, se cherchent, se cambrent, se désarticulent, s'enlacent ou se chevauchent avec un bonheur d'une telle intensité qu'il se revêt de gravité pathétique.

Ces dessins, malgré leur fluidité, possèdent une autorité si efficace qu'ils font peur aux professeurs ; ceux-ci bafouent leur enseignement, affectent de ne pas voir — et certains sont aveugles — que ces « impressions » sont en réalité du grand art et qu'à travers l'instant fugace elles rencontrent le permanent.

Pourtant, quelques esprits avertis se penchent sur ces feuilles avec curiosité, puis avec étonnement, puis avec émerveillement. En 1897, le grand amateur Fenaille fait publier à son compte un album de cent quarante-sept dessins reproduits en héliogravure dans leurs dimensions, avec une perfection qui fait honneur à ce nouveau procédé d'impression. L'ouvrage, orné d'un portrait du maître, « gravé sur bois par A. Léveillé d'après le buste de Mademoiselle Claudel », tiré à cent vingt-cinq exemplaires et vendu cinq cents francs — ce qui couvre à peine la somme avancée — est assez rapidement épuisé. Il convient d'ajouter qu'en voyant croître le nombre d'amateurs, Rodin exploita la vente de ses dessins à bon prix et mit un frein à leur dispersion inconsidérée.

UGOLIN

La Divine Comédie

Rodin est toujours aux prises avec *la Porte de l'Enfer*, ce grand rêve qui devient cauchemar. Les ébauches se multiplient, qu'il laisse au pied de cette redoutable architecture composée de deux panneaux de cinq mètres entourés de pilastres et d'un linteau. Il voudrait les charger de toutes les passions humaines et se laisse entraîner dans son propre vertige.

Il vient d'atteindre la cinquantaine. Judith Cladel nous le dépeint assis sur la terrasse de la villa de son père à Sèvres : « un peu en retrait du cercle loquace, massif et silencieux, caressant les longues mèches de sa barbe rousse qui commençait à se glacer d'argent ». Il donnait l'impression d'un esprit ami de la prudence et de la lenteur et d'un homme très timide. A la moindre émotion, son teint clair s'empourprait; sa bouche, invisible sous les torsades de la barbe, ne hasardait guère que quelques mots craintifs. On ne savait au juste ce qu'il pensait. Pourtant son œil gris-bleu, tantôt bridé d'un fin sourire, tantôt d'une curiosité perçante, disait la subtilité et presque la ruse d'un animal de la forêt. La forme du crâne, la pente du beau front, serré par les cheveux cendrés, en brosse, tels qu'il les portait alors, annonçaient la vigueur et l'opiniâtreté. L'observateur superficiel aurait pu le prendre pour un paysan madré, réservant ses pensées, et par calcul, avare de ses paroles; mais pour qui savait voir, quelle finesse, quelle puissance de pénétration cachait, sous son enveloppe un peu lourde, cet homme solide, aux mouvements rares et pesants, quel charme aussi, fait de sérénité et du mystère de son infinie douceur: « Vous, le grand doux à la barbe terrible, lui écrivait mon père. »

Dans ses relations mondaines, il souffre de sa gaucherie, sauf dans le tête-à-tête avec les femmes. Sur les photographies il se présente toujours de profil ou de trois quarts, car il n'ignore point l'angle qui met en valeur la pureté de son profil. L'œil s'allume parfois d'un sourire de faune. Autant il est réservé en public, autant il parle volontiers de son art, seulement sur son art, dans l'intimité du dialogue. Et il a des trouvailles d'une simple poésie qui enchantent ses auditeurs.

La Porte de l'Enfer fut le prétexte d'une grande quantité d'études dessinées ou sculptées, car ses analyses du corps humain ne le rassasient jamais; constamment renouvelées elles lui apportent toujours les joies de la découverte. Il est arrivé à une simplification du mouvement suggéré qui apparaît comme la synthèse des mille mouvements qui l'ont produit.

On a répété qu'il avait retrouvé l'esprit des *Jugements derniers* qui s'inscrivent aux tympans des porches des cathédrales. Nous n'y voyons rien de tel. Une chose unit Rodin aux artistes du Moyen Age : la force expressive, mais obtenue par des moyens tout différents. Les sculpteurs des cathédrales obéissaient au rythme simple et régulier imposé par le maître d'œuvre, alors que les damnés de Rodin appartiennent à un monde chaotique et dispersé. Les sujets, traités individuellement, sont si dissemblables par leurs proportions et leurs attitudes qu'ils n'ont jamais pu se joindre dans une composition d'ensemble.

S'il fallait invoquer des influences, celle de Michel-Ange nous paraîtrait dominer. Mais moins Michel-Ange sculpteur, son style grandiose, la puissance engendrée par les musculatures excessives,

UGOLIN. DÉTAIL

que Michel-Ange fresquiste de la Sixtine et surtout du *Jugement dernier*, cette tempête d'épouvante qui atteint le paroxysme de la douleur et du désespoir.

La lecture de Dante l'a conduit vers l'élévation spirituelle et guidé dans le choix de certains sujets *(Ugolin, Paolo et Francesca)*. Mais Dante et Michel-Ange ont donné de l'enfer une interprétation qui, sans suivre la lettre, était profondément chrétienne. Rodin qui n'y croyait pas, représente un enfer païen. Les damnés de Michel-Ange étaient des âmes. Ceux de Rodin sont des corps. Des hommes, des femmes, privés de la lumière céleste, qui se sont fait mutuellement souffrir et sont absorbés par l'abîme du néant.

Les nus de Michel-Ange, que l'Arétin dans son incroyable impudence dénonçait comme des objets de scandale, sont à l'image des créatures chassées du paradis terrestre tandis que ceux de Rodin, par-delà leur souffrance, sont plongés dans une ambiance de lascivité désespérée. Ils sont leurs propres proies et fécondent leurs malheurs.

Rodin a laissé libre cours à son imagination : il mélange le Dieu de la Bible et les dieux de la Grèce; les héros de Dante et les femmes damnées de Baudelaire. En vérité, l'art seul est sa morale, sa religion, sa conception du salut.

Pris séparément, des morceaux destinés à *la Porte de l'Enfer* sont parmi ses plus hauts chefs-d'œuvre. Impuissant à les ordonner, le sculpteur les a isolés et ils sont devenus des statues ou des groupes célèbres qui ont leur vie autonome, sous un nom qui leur fut donné après coup.

Le Penseur est une sorte d'hercule au repos, au front bas, au cou de taureau, au visage de brute, dont toute la puissance réside dans une formidable musculature. Mais il s'en dégage une telle force concentrée que la tête inclinée sur l'avant-bras suggère la méditation. Surmontant, en ronde bosse, le grouillement des damnés figurant en bas-relief sur les portes, il semble méditer sur leur sort.

Exposé au Salon, il avait été l'objet de railleries de la part de critiques chevronnés. Pour prendre sa défense, Gabriel Mourey organisa une contre-manifestation qui prit la forme d'une souscription publique. Ainsi, coulé dans le bronze, ce qui lui donnait encore

LE PENSEUR

plus de vigueur, *le Penseur* fut offert à la Ville de Paris qui le fit placer devant le Panthéon. La statue fut inaugurée avec éclat en 1906. Sous le faux prétexte qu'elle gênait, elle fut transportée en 1922 à l'hôtel Biron. C'est dommage : sa présence conférait une majesté à la place du Panthéon et tranchait sur l'habituelle médiocrité des statues parisiennes. « *Le Penseur* emplit la place, écrivait Léon Daudet, on croirait qu'elle est faite pour lui. Rodin est à la taille de l'éternité mais il ne déborde que très rarement les circonstances. » Sans le vouloir, il avait fait son meilleur monument public.

Bien d'autres morceaux en ronde bosse destinés à décorer la porte du musée des Arts Décoratifs ont acquis leur indépendance, et probablement gagné à cette indépendance. Ils vivent leurs drames contrastés : la *Cariatide à la pierre*, image de souffrance écrasée, mais résignée, d'une étrange douceur dont la jeunesse s'oppose au corps affalé, momifié et comme penché sur sa tombe, de *Celle qui fut la belle Heaulmière*, *la Martyre*, étendue toute crispée sur le sol, *la Douleur*, d'autant plus poignante que la souffrance ajoute à sa beauté naturelle, *la Femme accroupie* dont le mystérieux visage repose à la fois sur son épaule et sur sa cuisse dans une de ces postures contorsionnées que seul Rodin pouvait traiter sans obscénité et sans ridicule. Ce n'est point un morceau de bravoure : ce qui pourrait être un exercice acrobatique s'accomplit avec une harmonieuse aisance.

Les montants latéraux de la porte sont emplis par l'ascension de ces corps qui échappent à la pesanteur de la terre mais sont chargés du poids de la malédiction. Sur les vantaux, c'est la chute des damnés dans un espace tourmenté et chargé de lueurs d'orage. Le grouillement confus des corps nus, les femmes aux seins gonflés, la croupe tendue, les cuisses écartées, et les hommes écrasés et meurtris, et les couples féminins tordus par le désir, et les satyres et les centaures, c'est l'enfer des voluptés charnelles et des étreintes inassouvies.

Le linteau est peut-être la partie la plus embrouillée. Là où tout commandait de décorer une surface plane, Rodin a créé, en arrière du *Penseur* assis sur son rocher, une perspective en profondeur où s'agitent, pressés les uns contre les autres, une assemblée de déments. Ils débordent de tous côtés le cadre qui n'en peut contenir le tumulte. Leur masse

LE PENSEUR. DÉTAIL

LA DOULEUR

informe traverse en biais ce linteau qui ressemble à une entrée de caverne où les nudités sont entassées pêle-mêle. Vers la gauche les personnages flottent dans l'air, vers la droite ils s'écrasent sur le sol.

Il est un morceau de ce monument qui nous paraît s'imposer par-dessus tout par sa convenance et sa dignité. Rodin lui a donné une situation privilégiée, au sommet du monument et isolée. C'est le groupe dit des *Trois Ombres* composé de trois répliques d'une même œuvre mais présentées sous divers angles, ce qui donne à chacune sa personnalité. N'est-ce pas la plus évidente confirmation de la théorie des profils chère à leur auteur ? L'œil non averti voit un groupe de trois hommes différents.

CARIATIDE À LA PIERRE

CELLE QUI FUT LA BELLE HEAULMIÈRE

Dominant les perturbations des damnés répandus en grappes, ces *Ombres* apportent, enfin, un ordre. Elles appartiennent au spectacle de la désolation qui s'étend à leurs pieds. Leurs jambes ploient sous la charge irrémédiable de la fatalité. Elles se soutiennent l'une l'autre, leurs têtes affrontées, unies dans un même accablement. Le poids du destin se fait encore plus lourd en écrasant cette trinité dont la vigueur physique est illusoire désormais. Ces ombres ont quitté la terre et leur désespérance muette est plus terrible que tous les cris d'effroi et tous les gémissements. L'art de Rodin s'exprime au comble du tragique intérieur et de l'audace. Il n'est jamais allé plus loin dans l'irréalisme en disant « copier la nature ». La tête

FEMME ACCROUPIE

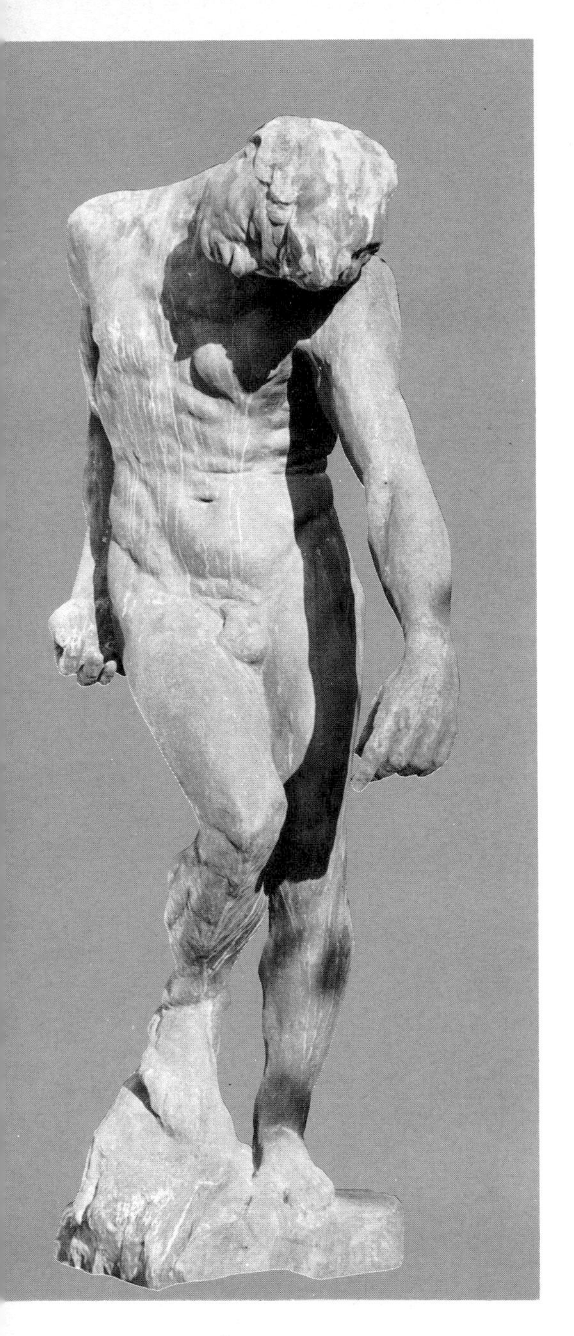

L'OMBRE

tombante, le cou et l'épaule se rejoignent dans une horizontale à peine ondulée, tandis que le corps d'athlète affaissé est modelé avec une science anatomique qui dépasse de loin celle de cet *Age d'airain* dont le sculpteur pouvait dire avec la simplicité qui était la conscience de son art : « J'ai fait mieux depuis. » Magnifiquement construit, le groupe des *Trois Ombres* se détache intensément comme un hymne solennel à la douleur sur l'enfer de cette porte peuplée d'un amas d'épaves et de larves.

Dans la disposition de la foule plaquée ou jaillissante de *la Porte de l'Enfer*, où l'on a recensé environ deux cents figures — travail difficile tant est grande la confusion et même la fluidité de certaines d'entre elles — le sculpteur n'a cherché aucune symétrie. On n'y trouve même pas d'arrangement préconçu. Il semble que ce fourmillement soit dû, non point au hasard, mais à un phénomène de génération désordonnée, les figures s'engendrant les unes dans les autres, l'une par l'autre, selon quelque obscure métaphysique personnelle et sans tenir compte de la loi du cadre.

Un jour, son ami Bourdelle — qui avait pour lui une admira-

L'OMBRE. DÉTAIL

tion qu'il gardera, malgré bien des traverses, toute sa vie — en arrivant dans son atelier, accrocha son chapeau à l'une des parties saillantes de *la Porte de l'Enfer*. Sacrilège ? Mais quelle critique dans ce geste de gavroche ! Rodin n'a rien dit. Il laissa le chapeau... N'était-ce pas la condamnation de son œuvre... ? Tout ce qu'il avait mis de lui-même, jour après jour, pour aboutir à cette porte qui, en définitive, n'était qu'une penderie ! Bourdelle n'avait pas prévu que cette galéjade aurait des conséquences si déplorables. Rodin se rendait compte que, dans son exaltation, il avait fait fausse route. Il avait accepté de l'Etat cette commande, mais avait perdu de vue sa véritable destination : elle n'était pour lui que prétexte à libérer les tourments de son imagination. Il renonce à poursuivre son ouvrage. Bourdelle, lui, avait le sens de l'architecture. Pas un de ses monuments où l'on ne sente l'ossature d'une forte composition architectonique. Il

LES TROIS OMBRES

LA MÉDITATION

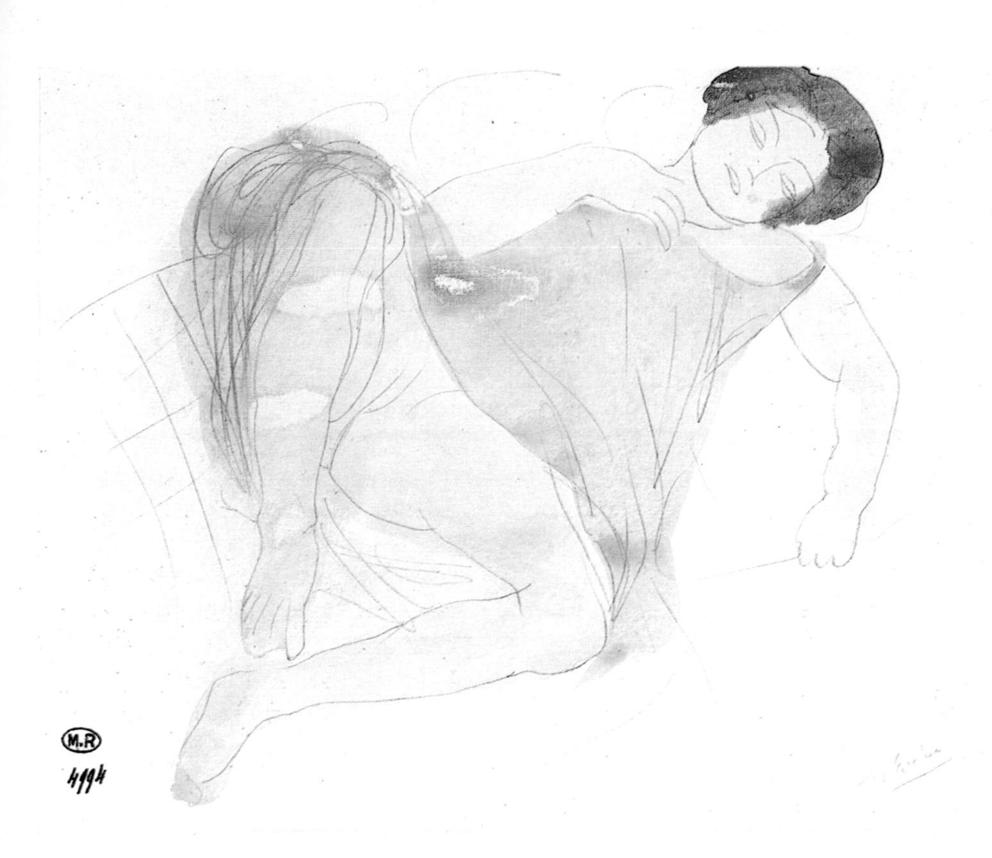

FEMME A DEMI ALLONGÉE ET LES JAMBES DÉNUDÉES

contribua à l'ordonnance de la façade du théâtre des Champs-Elysées d'Auguste Perret. Toute sa sculpture, il la pensait en constructeur.

Comment Rodin qui aimait l'architecture, à qui les bâtisseurs du Moyen Age firent entendre leur fort et subtil langage, et qui, presque seul à son époque chérissait dans leur authenticité les bâtiments anciens au point de vouloir acheter des maisons du XVIIIe siècle pour sa seule délectation, comment cet homme a-t-il pu faire preuve dans ses œuvres d'une telle méconnaissance des principes de l'art de construire ?

Prises individuellement, ses statues sont des chefs-d'œuvre de proportions, parce qu'il se réfère constamment au corps humain. Mais lorsqu'il lui faut dresser un monument, il est embarrassé par l'excès même de ses dons de plasticien. Les six bourgeois de Calais sont six statues qui ont chacune leur autonomie. Malgré ses qualités plastiques, le monument à Claude Gellée reste proche de la mesquinerie. A un moment de sa vie il lui prit la fantaisie de vouloir rapprocher certaines de ses sculptures pour composer des groupes. Ainsi réunit-il deux épreuves de *la Belle Heaulmière* en affrontant leurs visages abattus et, pour faire un sujet qu'il intitule : *Sources taries*, il les place au bord d'une sorte de grotte. Il a l'idée saugrenue de composer un groupe vertical avec *l'Eve*, *la Méditation* et *la Femme accroupie*, et celle-ci à une échelle différente et désaxée, semble voler lourdement dans les airs. On pourrait citer bien des exemples de cette impuissance particulièrement irritante chez un artiste d'une telle envergure. L'exemple le plus déplorable n'est-ce pas cette maquette d'une *Tour du travail*, projet extravagant et démesuré, à la gloire des métiers manuels? Les ouvriers en costumes contemporains, leur outil en main, devaient apparaître en bas-relief, enroulés en spirale autour d'une immense colonne intérieure autour de laquelle s'inscrivent des loges éclairantes malencontreusement inspirées de l'escalier du château de Blois. Le tout surmonté en porte-à-faux par un groupe de deux grandes figures ailées.

L'aventure de *la Porte de l'Enfer* était condamnée d'avance. Elle devait échouer non pas parce que Rodin n'avait pas assez de puissance pour traiter un sujet de cette ampleur mais parce que — c'était le revers de son génie — le thème dantesque proliférait dans son esprit comme les flammes d'un incendie qu'il ne pouvait maîtriser.

Mal conseillé, Rodin exposa *la Porte* (en plâtre) à sa grande manifestation rétrospective de l'Exposition de 1900. La critique muette de Bourdelle n'ayant pas cessé de le troubler, il l'avait dépouillée de sculptures en saillie. Ce ne fut pas un succès. Les suppressions ne faisaient qu'accentuer la disparate. « Mais elle n'est pas finie! s'écriait-on. » « Et les cathédrales, est-ce qu'elles sont finies? » répliquait-il tranquillement[20].

Cependant, en 1903, c'est-à-dire vingt-trois ans après avoir passé la commande, la direction des Beaux-Arts s'impatientait à bon droit. En dehors des acomptes versés au sculpteur, elle lui avait attribué trente-cinq mille francs destinés à la fonte. Elle réclamait la livraison.

Mais il n'était plus question pour Rodin d'organiser son œuvre. Il s'en était dégoûté. En outre, l'objet de la commande étant une porte, il faut bien dire que ce monument ne ressemblait guère à une porte. Un accord intervint l'année suivante avec l'administration, au terme duquel Rodin remboursait les sommes perçues et gardait son travail. La direction des Beaux-Arts en fut bien soulagée.

La porte figura plus tard dans la chapelle du musée où elle n'était pas à l'échelle. C'est seulement en 1938 qu'elle eut les honneurs du bronze et fut placée contre un mur à l'entrée du jardin du musée Rodin. Malgré la noblesse du métal, elle a gardé son aspect de projet chimérique.

« *La Porte de l'Enfer* est remplie de chefs-d'œuvre » clame partout Bourdelle, peut-être pour se faire pardonner l'histoire du chapeau.

DANAÏDE

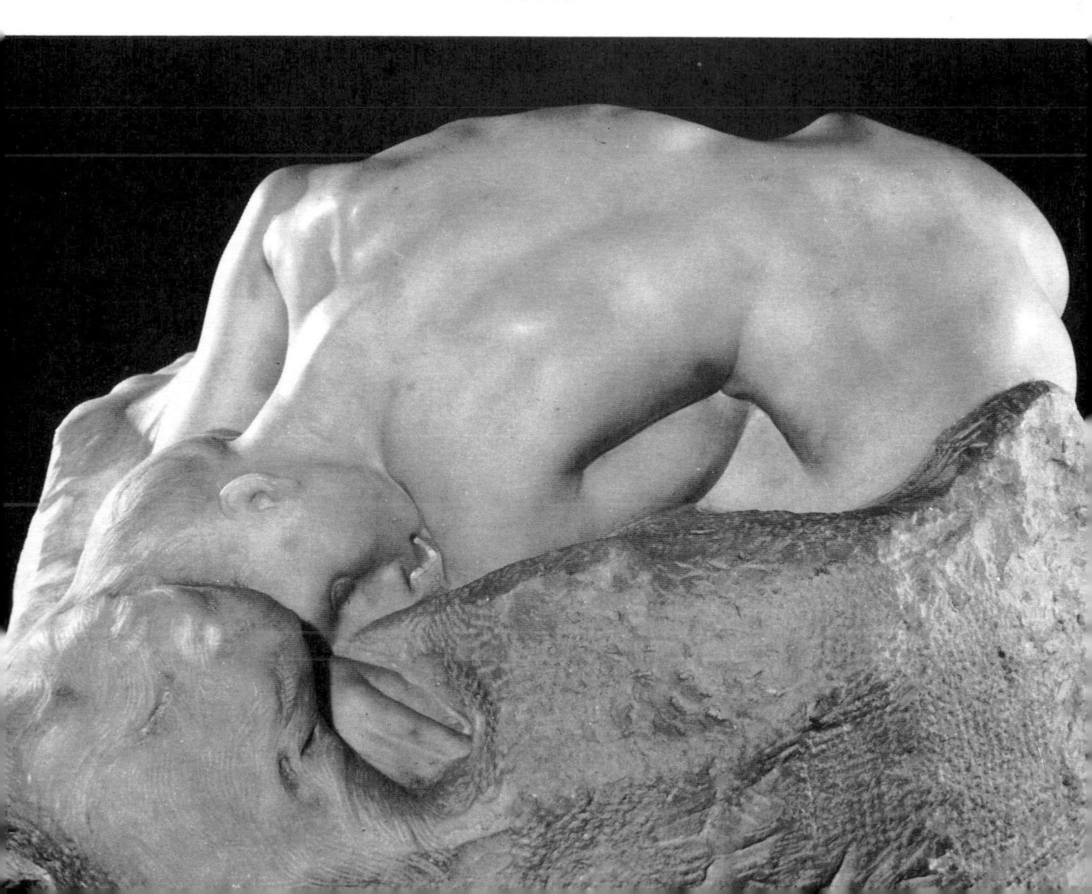

PORTE DE L'ENFER. DÉTAIL

PAOLO ET FRANCESCA

C'est vrai. Paris en discute et en dispute. En tout cas, l'attention du public est éveillée sur les travaux du sculpteur dont les œuvres ne ressemblent à rien de ce qui a été vu jusqu'ici. Durant les après-midi de réception, l'atelier ne désemplit pas de visiteurs.

Le renom de Rodin a passé les frontières. Les musées étrangers, qu'il stimule par ses dons, commencent à lui acheter. Une exposition est organisée à Genève qui lui est consacrée ainsi qu'à ses amis Carrière et Puvis de Chavannes. D'autres manifestations ont lieu en Allemagne. Guillaume II lui commande son buste[21]. Le prince Eugène de Suède et Norvège vient le voir à son atelier et s'enthousiasme. La commission des Beaux-Arts de Stockholm ayant refusé *la Voix intérieure*, une protestation est rédigée par des artistes suédois et le roi décore le sculpteur de la cravate de l'Ordre Royal. Quelque temps après, l'achat de son *Dalou* est refusé par la même commission, mais le prince Eugène réussit à le faire acheter par la Norvège. Toute sa vie Rodin dut ainsi se débattre contre les mauvais vouloirs et les mauvais tours.

A Bruxelles, où il avait entretenu d'importantes relations dont quelques-unes remontaient aux jours héroïques, des sculpteurs et des écrivains, rencontrés chez Cladel, ont organisé une exposition très importante à la Maison des Arts. Soixante sculptures entourent son buste par Camille Claudel. Dans cette ville qu'il avait décorée de tant d'œuvres anonymes, c'est une révélation. Le ton des commentaires de la presse attire une foule nombreuse, parfois scandalisée, presque toujours stupéfaite. Rodin séjourne à Bruxelles pour préparer son exposition et prendre contact avec l'éventuelle clientèle. Mais il est de mauvaise humeur : lors des réceptions mondaines données en son honneur, alors qu'on attend une conversation brillante du grand homme, il reste impassible et muet. En outre, il se désole de voir mutiler les vieux quartiers chers à sa jeunesse.

La Hollande, à son tour, veut présenter l'artiste glorieux. Des expositions se succèdent à Amsterdam, Rotterdam et à La Haye.

C'est sans doute en Angleterre qu'il a reçu, et dès les premiers contacts, l'accueil le plus compréhensif. Il était d'abord venu voir à Londres ses camarades d'école : Dalou et Legros. Celui-ci est l'ami de Whistler qui avait influé pour le faire nommer professeur de gravure. De nature généreuse, il s'ingénie à plaider sa cause et à le mettre en contact avec les milieux artistiques londoniens. Il y réussit surtout grâce à l'appui de Heuley, directeur du *Magazine of Art*, et du romancier Stevenson. Celui-ci passe une partie de son temps en France et séjourne fréquemment à Barbizon. Il entreprend une véritable campagne dans la revue de Heuley pour faire connaître le talent de Rodin à ses compatriotes. Il y est aidé par un « scandale », une fois encore. La Royal Academy s'est opposée à l'exposition d'une sculpture de Rodin, qui pouvait être considérée comme licencieuse par la « pudique Albion ». Stevenson en profite pour envoyer au *Times* une protestation retentissante.

En Angleterre, l'œuvre de Rodin avait été accueillie avec beaucoup moins de réticences qu'en France. Et ce fut une sympathie durable. Pendant la guerre de 1914-1918 le musée de South Kensington (Victoria and Albert Museum) acheta quatorze bronzes de Rodin, considéré comme l'artiste le plus illustre des pays alliés.

PORTE DE L'ENFER. DÉTAIL

L'ENFANT PRODIGUE

Chants d'amour et de volupté

La période où Rodin connut la grande passion de sa vie est celle de ses œuvres les plus passionnées. Telle est sa force que, même dans le déchet, tout ce qui sort de ses mains, avec une dangereuse facilité, est marqué par la griffe du génie. Il y a des murmures et des chants d'amour, il y a des cris de plaisir ou de douleur, et des cris où se fondent le plaisir et la douleur, et c'est toujours l'appel des hommes, l'appel des femmes, l'appel anxieux des corps. Est-il musique plus enivrée que celle d'*Orphée* qui semble mourir de son chant ? Est-il femme plus tendue que celle qui se dégage de l'étreinte du *Minotaure* alors que nous la sentons prête à céder ?

Et toujours le mouvement des corps exprime le drame. *Fugit amor*... Cette fille glissante comme un poisson sous le corps d'un garçon renversé qui s'accroche en vain pour la retenir. *L'Enfant prodigue,* adolescent agenouillé, les bras implorant le ciel, la tête rejetée en arrière, dont le torse contracté n'est qu'un long cri désespéré.

Les sculptures que nous nommons, remarquons-le, sont toutes présentées sur un rocher : c'est l'être humain attaché à la terre et qui tente en vain de s'en évader. Rodin aimait ces contrastes de la matière rocailleuse et des luisances et des reflets du bronze ou du marbre poli. Mais il sculptait aussi ces « figures volantes », sans socle, et même sans tête, qui ne sont plus que *la* femme, la femme charnelle, la femme charnue, la femme-animal, dégagée de tout, hors ce sexe béant dans son corps écartelé.

Sa fureur de travail se confond avec sa fureur de vivre. Elles se rejoignent et se fondent dans l'amour du corps féminin, un amour sensuel qui ne se transcende point en esthétique mais qui reste au

FUGIT AMOR

FUGIT AMOR

contraire le ferment de son admiration pour la forme plastique. C'est une religion. Dans son sanctuaire panthéiste, quand il célèbre la nature, il entend toutes les merveilles de la création, mais c'est la femme qu'il place sur le maître-autel, la femme qu'il adore comme une divinité.

Jules Desbois a rapporté une touchante anecdote. Travaillant un jour sur une échelle dans l'atelier du maître, il dominait un coin de la pièce isolé par un paravent où Rodin œuvrait d'après un modèle nu allongé sur un divan. La séance étant terminée, il s'avance près de la femme qui n'avait pas encore bougé et, les paupières baissées, tout illuminé de ferveur, il dépose avec déférence un baiser sur son ventre comme pour la remercier de sa beauté.

C'est le geste chaste de *l'Eternelle Idole* qui a la gravité d'un acte sacré. L'homme à genoux, les mains derrière le dos et, pour une fois, *les corps ne se touchant pas*, incline la tête avec un respect infini sous les seins de la jeune fille, debout, toute offrande et humilité. *L'Eternelle Idole* : ces deux mots dont le sculpteur a désigné ce groupe sont ceux qui pourraient s'appliquer à la plus grande part de son œuvre, deux mots qui vivaient au plus profond de lui-même.

« Quel éblouissement : une femme qui se déshabille! C'est l'effet du soleil perçant les nuages. A la première vue de ce corps, la vue d'ensemble, coup, commotion. Comme une flèche, l'œil, un instant en surprise, repart. Dans tout modèle il y a la nature entière, et l'œil qui sait voir l'y découvre et l'y suit si loin! Il y a surtout ce que la plupart ne savent pas voir : les profondeurs inconnues, les fonds de la vie. Au-dessus de l'élégance, la grâce; au-dessus de la grâce le modelé. Mais tout cela dépasse les mots. On dit du modelé qu'il est doux : mais il est puissamment doux. Les mots manquent... Des guirlandes d'ombres se décrochent de l'épaule à la hanche, et de la hanche aux bosses saillantes de la cuisse[22]. »

En feuilletant les notes de Rodin nous trouvons à tout instant des impressions du même ordre. Remarquons que la plupart — et c'est le cas, malgré les apparences, de celles que nous venons de citer — ont été suggérées par des statues; mais Rodin avait le don de restituer au marbre la chaleur de l'être vivant. C'est peut-être là où nous le surprenons au plus secret de son génie. Les antiques, les grands maîtres de la Renaissance et de l'âge classique, c'était pour lui la vie même, et il les voyait du même regard que ses modèles de chair et de sang. Voilà ce qui le sépare des sculpteurs de son temps, qui se référaient à des œuvres d'art dont ils cherchaient les modes de fabrication comme une garantie, et perdaient ainsi le sens de l'animation intérieure.

Jusqu'alors le couple amoureux n'était pas un thème de sculpture, du moins en Occident. Quant un homme et une femme se trouvaient réunis en un même groupe c'était pour une scène d'enlèvement, pour la conquête violente de celle-ci par celui-là — ou bien alors, ils étaient morts, allongés côte à côte sur leur tombeau.

Rodin ne modèlera pas de Vénus ni de Cupidon. Il fera du couple la représentation de l'Amour. De la pudique adoration de *l'Eternelle Idole* à la fougue éperdue des étreintes et à l'exaltation de la volupté, c'est le thème favori qu'il reprend sans jamais se répéter. La femme n'est plus un objet passif offert à la concupiscence du mâle, elle est un être sensuel qui participe à tous les élans du plaisir.

Aussi l'art de Rodin apporte-t-il de prodigieuses nouveautés. Il est le grand poète de l'Amour, et l'exprime comme personne ne le fit avant lui. Admirateur des Anciens, il retient de leur leçon l'art des structures et du modelé, mais la représentation de l'Amour, ce visuel lui donne l'image de la vie sous la forme du couple, du baiser, de l'étreinte des corps qui cherchent à s'unir en d'audacieux enlacements. Il n'en laisse jamais l'impression d'un épisode, il éternise le geste solennel d'une humanité misérable qui s'ennoblit dans la quête de l'accomplissement de la vie et de l'épanouissement d'un bonheur partagé.

Rodin s'est plu, dans ses dessins, davantage encore que dans ses sculptures, à imaginer les remous tumultueux des corps en délire. On l'a parfois présenté comme un obsédé sexuel. L'accusation d'obscénité faillit empêcher que la donation de son œuvre à l'Etat fût acceptée par le Parlement. C'est vrai qu'il a traité l'amour physique avec une liberté qui n'était pas d'usage. Dans son admiration pour le corps féminin, le couple est parfois formé de deux femmes, par exemple dans les *Nymphes* et les *Bacchantes*, ainsi que dans de nombreux dessins.

Il n'y a là rien de commun avec l'érotisme laborieux des cabinets secrets. La passion est si exaltée qu'elle purifie l'audace amoureuse. Des couples monte une sorte de prière païenne qui magnifie les attitudes. L'expression plastique est totalement opposée à l'érotisme au sens où l'on entend ce mot aujourd'hui.

Il nous suffit d'ailleurs de comparer les œuvres de Rodin à celles de certains peintres académiques notoires de son époque, pour voir

de quel côté peut apparaître le vice. Sous prétexte de « peinture de genre », ceux-ci adoptaient facilement le genre graveleux. Ces tortillements, ces aguicheries, ces regards de connivence que des filles dodues adressent aux spectacteurs ont un but précis. Mais il était convenu que ces nudités capiteuses étaient des peintures « convenables » et dignes de recevoir des médailles. Devant elles, nous sentons la présence d'un modèle qui vient de se déshabiller, tandis que les corps modelés par Rodin sont nus comme ceux des premiers âges. Au couple qui obéit aux lois de la chair il a restitué la dignité.

La période qui s'étend de 1885 à 1896 est emplie de ces groupes voluptueux et solennels qui sont la marque de l'esprit de Rodin. Le plus connu est *le Baiser*, lumineux symbole de l'amour et de la double tendresse de l'homme protecteur et de la femme aspirée dans tout son être. De la bouche aux pieds rejoints, c'est un même fluide qui les parcourt. Vous pouvez en faire le tour, il n'est pas un point où faiblisse l'élan du corps, pas un point où l'art du sculpteur soit inégal à lui-même. Ce sont *l'Eternel Printemps*, traité avec un enthousiasme juvénile, *Paolo et Francesca*, roulés dans des vagues, *l'Idylle*, *Daphnis et Lycénion*, *Je suis belle*, où l'homme porte à hauteur de son visage une femme aux membres repliés, *l'Emprise*, cette faunesse accrochée au mâle comme une petite bête dévorante à sa proie, et toutes ces « femmes enlacées », et ces « jeux de nymphes » où les formes émergent du marbre, à peine suggérées, nous situent dans les brumes d'un monde désenchanté.

Rodin est appelé à diriger les travaux d'un groupe de jeunes filles qui se réunissent dans son atelier de la rue Notre-Dame-des-Champs. Celle qui a mis sur pied cette petite association de camarades, dans le but de partager des frais d'atelier et de modèles, est une belle fille de vingt-quatre ans, gracieuse et gaie, dont le regard bleu sombre est d'une profonde intensité.

Le nouveau professeur l'a remarquée aussitôt. Et il remarque bientôt l'originalité de son talent et de son imagination qui lui permettent de surclasser de très haut les autres élèves. Ce n'est pas une femme ordinaire. Elle écoute avec une attention passionnée les pro-

L'ÉTERNELLE IDOLE. DÉTAIL

L'ÉTERNELLE IDOLE

JE SUIS BELLE

LA CHUTE D'ICARE

pos, toujours brefs, qui tombent de la bouche du maître. Elle se cabre devant une remarque qui lui paraît injustifiée. Extrêmement disciplinée au travail, elle reste farouche et fière.

Tout son temps se passe à dessiner, à peindre, à sculpter. Elle analyse les détails et, avec une autorité rare chez une femme, dégage l'architecture essentielle du modèle.

Cette jeune fille est Camille Claudel, la sœur de Paul Claudel et de quatre ans son aînée. Elle eut sur son frère un ascendant dont il dira qu'il fut « souvent cruel ». Elle lui enseignait le mépris des conventions familiales et de la religion. Elle l'exaltait en lui lisant Shakespeare. Elle le subjuguait en modelant la glaise sans

LE BAISER

LE BAISER

LE PÉCHÉ

avoir reçu l'enseignement d'aucun maître. Elle l'initiait aux grandeurs de l'art et de la création humaine.

Sa rencontre avec Rodin devait déchaîner en elle un flot de forces subconscientes. Le génie de l'artiste l'éblouit. La calme puissance de l'homme la captive. Trop noble pour en rien laisser paraître, elle se plie aux directives imposées.

Elle va travailler à l'atelier de la rue de l'Université. L'influence du maître est totale. Elle devient sa secrétaire et son aide. Elle devient son modèle pour le buste. Puis pour le nu.

Ici, laissons parler Paul Claudel. Le texte simple et déchirant qu'il écrivit un demi-siècle plus tard en préface à une exposition des œuvres de sa sœur au musée Rodin résume tout le drame[23].

« Sur l'oreiller de ce lit d'hôpital, il n'y a plus sous le vague bonnet que ce crâne, comme un monument désaffecté, dont se révèle à moi la magnifique architecture. Le dieu à la fin solennellement se dégageant des injures du malheur et de la vieillesse.

Camille Claudel. Je la revois, cette superbe jeune fille, dans l'éclat triomphal de la beauté et du génie, et dans l'ascendant, souvent cruel, qu'elle exerça sur mes jeunes années : telle que la photo de César au frontispice du numéro fameux de *l'Art décoratif* (juillet 1913) nous la montre, elle venait alors d'arriver de Wassy-sur-Blaise à Paris et suivait les cours de l'atelier Colarossi. Plus tard, il y aura les deux beaux bustes d'Auguste Rodin qui font partie de cette exposition. Un front superbe, surplombant des yeux magnifiques, de ce bleu foncé si rare à rencontrer ailleurs que dans les romans, ce nez où elle se plaisait plus tard à retrouver l'héritage des Vertus, cette grande bouche plus fière encore que sensuelle, cette puissante touffe de cheveux châtains, le vrai châtain que les Anglais nomment *auburn*, qui lui tombait jusqu'aux reins. Un air impressionnant de courage, de franchise, de supériorité, de gaieté. Quelqu'un qui a reçu beaucoup.

Et puis — juillet 1913 ! — il a fallu intervenir, les locataires de cette vieille maison du quai Bourbon se plaignaient. Qu'est-ce que c'était que cet appartement du rez-de-chaussée aux volets toujours fermés ? Qu'est-ce que c'était ce personnage hagard et prudent, que l'on voyait sortir le matin seulement pour recueillir les éléments de

CAMILLE CLAUDEL SCULPTANT

sa misérable nourriture? Un beau jour, les employés de l'hôpital pénétrèrent par le fond de la pièce et mirent la main sur l'habitante terrifiée qui, depuis longtemps, les attendait au milieu des plâtres et des glaises desséchées. Le désordre et la saleté étaient comme on dit indescriptibles. Au mur, accrochées par des épingles, les quatorze stations du Chemin de la Croix, empruntées à coups de ciseaux au frontispice du journal de la rue Bayard. Dehors, l'ambulance attendait. Et voilà pour trente ans. Dans l'intervalle, il y avait eu Auguste Rodin.

Je ne raconterai pas cette lamentable histoire qui fait partie de cette sourde tradition non écrite que l'on peut appeler la Légende parisienne. Qu'elle fasse trembler les familles, chez qui se déclare cet affreux malheur, le pire qu'elles puissent appréhender, qui est une vocation artistique ! Du temps de Rodin, les dégourdis de l'Art académique s'en tiraient par un large recours aux commodités du moulage sur nature, qui économisait à la fois les frais et le talent. Camille, elle, prenait sa vocation au sérieux, tout autant qu'on pouvait le faire du temps de Donatello et de Jacopo della Quercia. L'enseignement précieux de Rodin ne fit que l'éveiller à ce qu'elle savait et lui révéler sa propre originalité. Mais la différence entre les deux tempéraments se manifeste dès le début et la présente exposition aura pour résultat de la mettre en évidence. La science du modelé est égale chez l'un et chez l'autre, ma sœur l'a acquise non seulement par un labeur acharné d'après nature, mais par des mois d'études anatomiques et de dissection. »

Camille a vécu neuf ans dans l'orbe de Rodin. Au contact du maître, son œuvre se renouvelle et grandit sans perdre sa personnalité. Le buste qu'elle fit de Rodin est le seul portrait qu'il ait aimé. Réciproquement, elle apparaît dans nombre d'œuvres du sculpteur au moment le plus haut de sa fécondité. Aux êtres immodérés la passion apporte ses joies, mais plus encore ses souffrances. Peut-être lui pardonnait-elle ses aventures sans lendemain. Elles furent nombreuses et concernent aussi bien des femmes de chambre que des femmes du monde. Mais elle ne put supporter que celui à qui elle avait tout donné partageât une part de sa vie avec cette femme qu'il rejoignait le soir à Meudon.

Rodin l'admire. Et il l'aime comme il n'a jamais aimé et n'aimera jamais. Elle lui apporte des échanges de pensée qui l'enrichissent et animent son inspiration.

Que sont les propos anodins de Rose à côté de ces incendies ! Mais il ne se sent pas le droit et ne veut pas avoir la faiblesse d'abandonner celle qui fut la compagne de sa vie. Elle-même, qui n'ignore point la place prise par Camille, est martyrisée. Son acrimonie s'exhale en violences qui le laissent atterré.

CAMILLE CLAUDEL. BUSTE DE RODIN

Et quand il retrouve Camille ce sont des scènes toujours plus tempétueuses, et des accents de douleur contre lesquels sa douceur naturelle ne peut réagir, qui le déchirent, qui le minent jusqu'à l'effondrement.

Un jour Camille l'abandonnera sans retour. Elle vivra seule, volontairement seule et misérable, dans son logement de l'île Saint-Louis. Elle assistera, demi-consciente, à l'inexorable dégradation de son esprit. Elle sera internée. Et elle mourra, trente ans plus tard, oui, trente ans, dans une salle commune de l'hôpital de Villeneuve-lès-Avignon.

Paul Claudel n'a jamais douté que Rodin ait été responsable de cette atroce déchéance. Il exerça contre lui sa verve incisive et le malmena durement : « Pour moi, écrit-il en 1905, dans ce carnaval de croupions, je ne trouve que l'œuvre d'un myope qui ne voit de la nature que ce qu'elle a de plus gros. » Il ne recule pas devant la sévérité la plus injustifiée : « Des critiques irréfléchis ont souvent comparé l'art de Camille Claudel à celui d'un autre dont je tais le nom. En fait, on ne saurait imaginer opposition plus complète et plus flagrante. L'art de ce sculpteur est le plus lourd et le plus matériel qui soit. Certaines même de ses figures ne peuvent réussir à se dégager du pain de glaise où elles sont empêtrées. Quand elles ne rampent pas, accolant la boue avec une espèce de fureur érotique, on dirait que chacune étreignant un autre corps essaie de refaire le bloc primitif. De toutes parts, impénétrable et compact, le groupe renvoie la lumière comme une borne. » Mais, reprenant ce texte dans une édition de 1928, il ajoute en note : « Hélas! je suis tout de même obligé de reconnaître que Rodin était un artiste de génie[24]. »

ÉTUDE POUR LE MONUMENT DE VICTOR HUGO

La Comédie humaine

Rodin n'a pas renoncé au *Victor Hugo* pour le Panthéon. Deux ans après l'échec, il s'est remis au travail. Il cherche à se conformer à la commande : le poète sera debout et en veston.

Il commence, bien entendu, par une maquette de nu. Mais les choses se compliquent lorsqu'il lui faut la vêtir. Pour figurer les allégories, il a l'idée d'utiliser trois têtes de femme qu'il emprunte au linteau de *la Porte de l'Enfer*. Elles sont très belles, mais elles forment un paquet confus derrière la tête du poète. Il abandonne.

Encore une fois la commande d'un monument public reste inachevée. Certains artistes ont besoin d'un programme précis, d'un cadre fixe qui discipline leur pensée. Il le savait bien, l'ancien artisan qui avait tant vanté l'éducation par la commande, d'après des indications précises, à la manière des artisans d'autrefois. Mais il appartient déjà au XXe siècle par l'esprit ; et son esprit est devenu trop libre, son imagination trop inventive, sa main trop aventureuse pour se plier à des règles imposées.

BUSTE DE VICTOR HUGO

Restait le premier Victor Hugo, celui qui représentait le poète assis sur un rocher, qui devait décorer le jardin du Luxembourg. Lentement, très lentement, des praticiens l'exécutent dans le marbre sous ses directives. Il le modifie. Il le délaisse. Puis, il finit par enlever les muses qui alourdissent le monument, portent ombrage par leur puissance expressive, au personnage célèbre et lui nuisent plutôt qu'elles ne le glorifient.

Encore une fois, l'administration des Beaux-Arts avait donné la mesure de sa patience. (Il est vrai que le ministre, Dujardin-Beaumetz

MONUMENT DE VICTOR HUGO

était un ami de Rodin). Le Luxembourg étant vraiment déjà trop rempli de statues, celle-ci fut placée dans le jardin du Palais-Royal à la fin de 1909, soit vingt-sept ans après avoir été commandée.

Flânant un jour dans un vieux quartier de Paris qu'il aimait, Rodin s'arrête devant une maison à vendre. Peut-être est-elle à vendre depuis longtemps : située dans une rue étroite et sombre, elle porte les marques de l'abandon et de la vétusté. Mais sa simple façade du XVIIIe siècle l'enchante, ses vieilles pierres lui lancent un appel auquel il ne sait pas résister. Elle est située dans la rue des Grands-Augustins, non loin des quais. Il l'achète. Il y installe Rose aussi confortablement que le permet l'état des lieux. C'est à l'atelier de l'avenue d'Italie qu'il retrouve Camille.

Au moment où la passion de sa maîtresse se fait de plus en plus exigeante, s'il ne veut pas lui promettre d'éloigner définitivement Rose, comme elle le réclame en des scènes impérieuses, il lui promet de partir avec elle en voyage.

Où ? Pour Camille, peu importe, pourvu qu'elle soit le plus longtemps possible avec lui.

Ils se rendent en Touraine. Là-bas, il verra les grands châteaux royaux et les villages les mieux bâtis du monde.

Sur les rives de la Loire et de l'Indre, ils passent tous deux des jours heureux. Ils séjournent dans un hôtel de Tours. La ville et ses vieilles rues, la campagne, les prairies, les rivières ensoleillées, tout l'enchante. Il s'est plongé dans les romans tourangeaux de Balzac, il vit avec le « grand bonhomme » en lisant *le Curé de Tours* et *le Lys dans la vallée*. Dans la journée, il fait des croquis et, le soir, à l'hôtel, il dessine Camille nue, à la lumière d'une bougie. Et il prend des notes : « Cette fois, je n'aurai pas vu de cathédrales; mais j'ai vu le ciel même qui verse un bonheur bleu... Journée glorieuse. Loire d'acier, moirée dans toute sa largeur. »

« Cette matinée est calme jusqu'aux derniers horizons. Tout repose. Partout de pleins effets de lenteur, d'ordre. Le bonheur est visible partout. Brume colorée et embaumée du beau temps. Trouve-t-on hors de ces contrées, cette égalité rassurante, réconfortante, de l'air et de la lumière ? Ce gris fin, ce gris doux de la Loire sous les nuages, ces toits gris de la ville, ce pont gris de vieille pierre. »

« Dans la contrée où est Chambord, cette petite église, qui n'a pas été réparée, pas toute, du moins. Pour le chœur, qui était roman, on a consulté un ingénieur, quelque notable du service d'assainissement; il a fait sa besogne... Mais la nef, ces merveilleux modelés, ces piliers doux, ces grandes nervures si fraîches, divisées en plusieurs nervures plus fines... »

Et toujours sa colère monte contre les nouveaux vandales : « Vous verrez quels beaux hôtels de ville on vous construira, dans les provinces, quand il n'y aura plus de châteaux Louis XVI où les municipalités puissent trouver à se loger. »

En quittant Rose, il lui avait dit qu'il resterait absent quelques jours. Il ne revient qu'au bout d'un mois.

Deux ans après son voyage au pays de Balzac se déclenche l'événement qui devait agiter si profondément l'opinion autour de lui que ses remous s'étendirent jusqu'à la veille de la dernière guerre... Il reçut de la Société des gens de lettres la commande d'un monument à Balzac.

Au vrai, dès l'origine, les choses ne s'étaient pas passées simplement. La Société reprenait un vieux projet d'Alexandre Dumas père, qui, peu après la mort de Balzac, avait pris l'initiative de lancer une souscription publique pour lui édifier une statue. Mais l'étrange susceptibilité de la veuve, qui voulut faire interdire la souscription par décision judiciaire, porta un coup fatal à ce projet. En 1885, la Société des gens de lettres ouvre une nouvelle souscription qui rapporte trente-six mille francs. Le très officiel sculpteur Chapu est désigné pour exécuter la statue. On a décidé de la placer dans la galerie d'Orléans, au Palais-Royal, verrière incongrue qui sera abattue en 1933.

Le choix de l'emplacement est fort discuté. L'architecte du socle et le sculpteur n'arrivent pas à s'entendre — et celui-ci meurt sans avoir terminé sa maquette.

Il faut chercher un nouveau sculpteur — d'autant que l'Etat, la Préfecture de la Seine et le Conseil municipal se sont mis d'accord pour désigner un endroit plus honorable : la place du Palais-Royal. Marquet de Vasselot (qui se croit des titres parce qu'il a exécuté vingt ans auparavant un buste de *Balzac*), Coutant et Antonin Mercié posent leurs candidatures.

Nous sommes en 1891. Le nom de Rodin, surtout depuis l'exposition de Georges Petit, est connu, sinon célèbre. Des écrivains et des artistes s'agitent pour que lui soit confié le monument. Gœneutte Champfleury, Arthur Arnould et quelques autres écrivent dans ce sens à Zola, qui, cette année-là, est président de la Société des gens de lettres.

Zola est d'accord. Il propose au comité les candidatures maintenues de Marquet de Vasselot et celle de Rodin. Au premier tour chacun obtient neuf voix. Au deuxième tour, Rodin obtient douze voix. Il faut dire que Zola avait assez impétueusement secoué l'assemblée. D'après le contrat, Rodin doit exécuter une statue de trois mètres, piédestal non compris, et la livrer en mai 1893. Il a donc deux années devant lui. Il touchera trente mille francs et recevra des acomptes.

Il semble que Rodin ait vu assez rapidement le parti qu'il allait adopter. Roger Marx écrivait en effet dix mois après : « Une maquette existe, très poussée, très précise, définitive et superbe. Balzac y est figuré debout drapé dans le froc de dominicain qui fut le suaire jamais quitté de ce penseur opiniâtrement rivé à la tâche, selon la manière des moines du vieil âge. Et comme l'ample vêtement séculaire n'accuse aucune date, la pensée va généralisant et la seule idée suggérée par le costume est celle de la réclusion laborieuse, celle du travail repris à chaque aube, sans trêve ni merci[25]. »

Voici Rodin aux prises avec une besogne pour lui toute nouvelle et chargée d'écueils. Imiter le modèle ? Ce qu'il a toujours fait, toujours prêché comme le seul moyen d'atteindre la vérité se révèle impossible. Comment retrouver l'image d'un Balzac mort depuis quarante-deux ans, au temps où la photographie était dans les limbes ?

Chose curieuse, les documents iconographiques sur ce grand homme sont rares et ne concernent pas la dernière partie de sa vie. Rodin part en chasse pour recueillir les témoignages qui lui permettront d'appréhender son personnage. Devéria a peint Balzac lorsqu'il

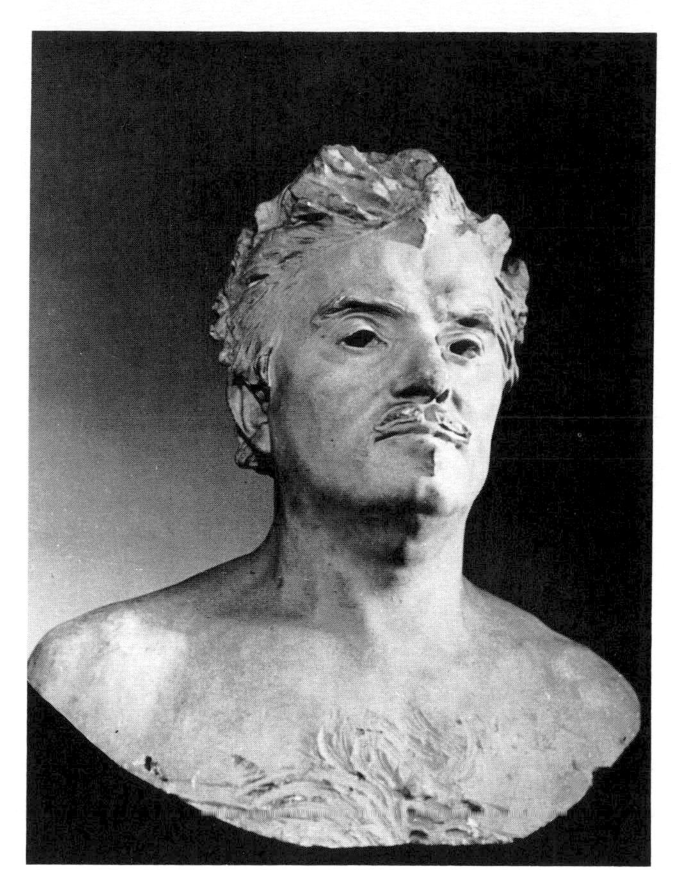

ÉTUDE POUR LA TÊTE DU BALZAC

était tout jeune homme. Il y a au musée de Tours deux portraits, assez mous, par Louis Boulanger et par Gérard Séguin, une lithographie agréablement souriante de Lasamme, et enfin la caricature, très répandue depuis, du *Charivari* où le romancier est revêtu de sa robe de chambre, une tête énorme encadrée de cheveux très longs. (C'est peut-être ce dernier document, cette caricature, qui est l'image la plus vivante, celle dont Rodin s'inspirera, consciemment ou non, au fur et à mesure de ses travaux en transposant le côté humoristique pour arriver à l'accent de sublime fierté qui rayonne de la statue défi-

ÉTUDE POUR LA TÊTE DU BALZAC

ÉTUDE POUR LA TÊTE DU BALZAC

nitive). On trouvera un peu plus tard dans les collections de Nadar, une reproduction de daguerréotype qui date des derniers temps douloureux de la vie de l'écrivain[26].

Dès le mois d'août, Rodin part pour Tours, sur les lieux qui l'ont tant séduit, où il espère cueillir un reflet de l'auteur de *la Comédie humaine*, car s'il veut chercher la ressemblance, ou tout au moins la vraisemblance, il a l'ambition de traduire par son effigie l'œuvre géante de l'écrivain. Il y a bien à Tours un buste de *Balzac* par David d'Angers, mais il le méprise. Ignorant sans doute que Balzac était d'origine languedocienne, il espère trouver des sosies dans le pays. Et il en

ÉTUDE POUR LE BALZAC

trouve. Du moins le croit-il, puisqu'il modèle en vue de sa statue des bustes de plusieurs Tourangeaux.

S'il ne cherche pas à faire un portrait robot, il accumule les têtes sculptées. Il a laissé vingt études — sans doute en a-t-il fait davantage — dont la confrontation est du plus vif intérêt.

Mais il s'agit d'une statue en pied. Balzac doit être debout. Ce qui pose un problème fort difficile à résoudre pour celui qui veut spiritualiser sa sculpture mais ne veut point l'idéaliser. Comment faire ? Bien qu'il soit mort à cinquante et un ans, Balzac porte les difformités de l'âge. On dirait qu'à force d'être resté si longtemps assis à son écritoire son corps se fut développé et boursouflé selon des courbures imposées par ce travail sédentaire : jambes et bras courts, torse épais et, selon le mot des Goncourt, « profil du ventre en as de pique ».

Rodin tient compte de tout ce qui a été dit ou écrit. Il va jusqu'à retrouver l'ancien tailleur de Balzac qui a gardé ses mesures et lui commande un costume dont il revêt un homme-mannequin bourré de chiffons dont il modèle une étude.

Jusque-là il avait imaginé l'écrivain dans un costume très ample. Plusieurs ébauches le représentent ainsi. Il adopte maintenant l'idée que tout impose : Balzac dans sa tenue de travail habituelle, la robe blanche des dominicains. C'est celle dont ont parlé ses amis, c'est celle de la caricature du *Charivari*. Il la transformera, il la stylisera, mais c'est en prenant ce point de départ qu'il aboutira à l'étonnant drapé d'où, sur son cou de taureau, surgira la tête de Balzac.

Rodin avait commencé par faire des études de nus fort réalistes, souvent les bras croisés, comme un lutteur de foire, toujours la jambe gauche avancée. Il nous en est parvenu sept. Non point, comme certains l'ont cru, qu'il ait jamais eu l'intention de représenter Balzac dans la tenue où il avait présenté Victor Hugo, mais parce que c'était là sa méthode de travail, celle qui permettrait de sentir l'homme vivant sous les drapés. Plusieurs études, dont la musculature est volontairement outrancière, sont d'une vigueur magnifique. Elles dépassent la créature humaine. Ce sont des dieux ou des héros mythologiques.

ÉTUDE EN PIED POUR LE BALZAC

BALZAC EN ROBE DE CHAMBRE

Nous arrivons au mois de mai 1893. Avec son insouciance coutumière des contrats de commande, Rodin se préoccupe fort peu de la Société des gens de lettres. Lorsqu'il apprend que, par contre, on s'y préoccupe beaucoup de lui et de son monument, il est étonné : « Ils ne savent donc pas que l'art ne s'accommode pas des délais de livraison. » Et si on lui parle du contrat qu'il a signé, il se contente de sourire et de faire de la main un geste d'indifférence. Pourtant, des amis le préviennent qu'il lui faut déjouer les complots qui se trament à l'instigation de membres de l'Institut.

Chaque fois qu'il entend parler de l'Institut, Rodin voit rouge. Il accepte tout de même de prier les membres de la commission de venir voir sa maquette à l'atelier.

Ils viennent. Devant l'artiste qui les accueille avec courtoisie, mais ne dit plus un mot, ils regardent. Certains élèvent de vagues objections qui restent sans réponse. Amis et ennemis repartent consternés.

Tout se présente bien mal. Les adversaires du sculpteur demandent que la Société lui fasse un procès. Zola va voir Rodin et l'objurgue de donner des précisions sur le délai. Il lui fait valoir qu'il y aura des élections à la Société l'année suivante et qu'un autre président ne sera peut-être pas aussi accommodant. Il n'obtient que de vagues réponses d'où il ressort que les travaux d'agrandissement et de fonte de la maquette ne peuvent être terminés avant 1895.

Par chance, il se trouve que c'est un ami de Rodin, le poète Jean Aicard, qui est élu à la présidence. Zola le met par lettre au courant de la situation : « J'ai laissé pendante à la Société une question grosse d'orage, la question de la statue de *Balzac*. Vous allez avoir les plus grands ennuis. Je vous en préviens amicalement. Je suis dévoué à Rodin, vous m'avez entendu au Comité parler de toutes mes forces en sa faveur; mais je ne veux pas que vous croyiez devoir vous embarrasser de mes opinions. Le mieux serait pour tout le monde que vous vous missiez en rapport avec les amis de Rodin. Soyez conciliant. Vous chercherez un terrain d'entente. Un procès ferait perdre du temps à l'artiste et ne serait pas pour faire aimer la Société. »

Quand la commission se réunit à nouveau à l'atelier de Rodin, l'impression est pire encore qu'à la première visite. Il n'y a même pas de discussion, Rodin restant toujours à peu près muet. Mais au siège de la Société, les commentaires vont bon train. On ne peut imaginer de dresser sur une place parisienne ce « monstre obèse », cette « masse informe » qui ressemble à un « colossal fœtus ».

Rodin traversait alors une période particulièrement pénible qui avait ébranlé sa santé. Ses relations avec Camille Claudel étaient au plus fort de l'orage et il en était profondément bouleversé. Rose avait eu des atteintes au cœur dont elle se remettait mal. Il en avait beaucoup de souci. Enfin, un excès de tension artérielle lui causait des troubles qui le déprimaient. Sa fécondité habituelle était ralentie. Encore une fois, il ne précise aucune date à ses interlocuteurs.

La plupart sont furieux. En leur demandant de s'adresser à Rodin, ne les a-t-on pas poussés dans un guêpier ? Le monument sera-t-il seulement terminé en 1899, date à laquelle le centenaire de Balzac doit être célébré par la Société ? N'oublions pas qu'au même moment le sculpteur se débat avec *la Porte de l'Enfer* et le *Victor Hugo* qu'il ne parvient pas à terminer.

Tout cela est peu rassurant. A l'unanimité, le comité demande que Rodin soit mis en demeure de livrer sa statue dans les vingt-quatre heures. A défaut, son contrat sera résilié et l'acompte de dix mille francs qui lui a été versé devra être restitué. Plus grave encore est le rapport de la commission qui déclare sans ambage que le monument est « artistiquement insuffisant ».

Jean Aicard, dont la réputation est celle d'un écrivain et d'un poète plutôt douceâtre, fait alors preuve d'une énergie et d'un sens diplomatique inattendus. Il cherche d'abord à temporiser. Il arrive à convaincre le comité qu'une telle sommation adressée à un artiste aussi éminent serait du plus mauvais effet. Il n'est d'ailleurs pas certain que la Société, si elle se lance dans une action judiciaire, obtienne gain de cause. Jean Aicard s'offre à demander personnellement à l'artiste de renoncer de son chef à l'exécution de la commande. Que l'assemblée lui fasse confiance !

Quelques semaines plus tard, il donne lecture d'une lettre de Rodin, très adroite et d'un ton noble. De toute évidence elle lui a été dictée soit par Geffroy, soit par Aicard lui-même : « L'œuvre d'art, tous

ÉTUDE DE NU POUR LE BALZAC. DÉTAIL

BALZAC

ceux qui luttent avec elle le savent, veut la libre réflexion et le calme. C'est là ce que j'aimerais voir ratifier par vous pour me permettre le meilleur et le plus prompt achèvement de mon travail. Vous le pouvez et le devez, car ces préoccupations sont les vôtres puisque ce sont celles de tous les producteurs dans les arts et dans les lettres. La haute idée que j'ai de ma responsabilité d'artiste a été sans cesse présente à mon esprit. C'est elle qui m'occupe après les quelques semaines de repos que j'ai dû prendre. Je vous demande de me laisser les moyens d'honorer de toutes mes forces, de toute ma volonté, le grand homme dont l'exemple doit vous animer tous. Je pense à son labeur acharné, aux difficultés de sa vie, à la bataille incessante qu'il a dû livrer, à son beau courage. Je voudrais exprimer tout cela. Donnez-moi confiance et crédit. »

Comment répondre par une mesure insultante à une lettre aussi digne ? La question financière, celle de l'acompte de dix mille francs, est cependant mise en question. Rodin, encore bien conseillé, y répond en proposant de la verser à la Caisse des Dépôts jusqu'à la livraison. Il estime que le monument sera terminé dans un an.

Le comité est satisfait. Il accepte. Et tout semble s'arranger.

Mais ce serait mal connaître les rancœurs des artistes chevronnés qui ont été supplantés par cet « anarchiste » et l'horreur, parfois sincère, qui s'empare des académistes à l'idée de voir se dresser en plein Paris la silhouette informe, outrageante, scandaleuse du glorieux écrivain que l'on doit officiellement célébrer. C'est la France entière, c'est la haute tradition des Anciens qui sera insultée. Des campagnes de presse sont montées, des cabales s'organisent.

Intimidé, le comité veut revenir sur sa décision. Mais lors de la séance de vote, à la surprise de l'assemblée, le président Aicard lit une déclaration virulente, annonce sa démission et quitte la salle. Six membres du comité se solidarisent avec lui.

L'affaire fait grand tapage. La presse pend parti pour ou contre Aicard, c'est-à-dire pour ou contre Rodin. Mais les « contre » sont les plus enragés. Comme il y a une affaire Dreyfus — qui bat alors son plein — il y a une affaire Rodin qui dépasse les cercles littéraires et artistiques.

Rodin est très affecté. Cet homme de roc, ce bourreau de travail laisse ses œuvres à l'abandon. Sa volonté, dont il a donné tant de preuves, défaille. Il doute de soi et donne raison, par son attitude, à ceux qui répandent que c'est un homme usé, que l'artiste est à bout de souffle et que son soi-disant *Balzac* en fournit surabondamment la preuve. Il traverse une crise semblable à celle qui l'a éprouvé dans sa jeunesse à la mort de sa sœur. Mais il a cinquante-quatre ans. Il réagit par des crises de colère dont son entourage fait les frais. Et c'est encore la pauvre Rose qui en est le plus souvent victime. Elle ressemble maintenant à une vieille paysanne hargneuse qui harcèle constamment son compagnon de ses plaintes. Si elle avait fini par supporter les aventures passagères, elle n'ignore pas qu'il est la proie d'une grande passsion, et elle craint d'être éconduite à jamais. Malhabile, son inquiétude s'exprime en récriminations.

L'emportement amoureux de Camille a pris des proportions tragiques. Elle n'admet pas non plus le partage. Son exaspération devient virulente, proche du déséquilibre; elle parle de se donner la mort. Dans la bouche d'un être de cette race, c'est une menace que l'on doit prendre au sérieux. Au drame de la rupture, succédera le drame de la démence.

Rodin cherche à oublier. Il fuit.

Après un séjour en Suisse, à Saint-Moritz, il s'est remis à peu près d'aplomb. Ses amis s'ingénient à lui donner des preuves de leur estime.

La scission opérée en 1890, au sein de la Société des artistes français, qui a fait subir à Rodin tant d'avanies, a donné naissance à la Société nationale des Beaux-Arts. Ses confrères le nomment président de la section de sculpture.

Au banquet organisé en l'honneur des soixante-dix ans de Puvis de Chavannes, Rodin, son grand ami, est chargé de modeler le profil du peintre qui figurera sur une plaquette de bronze distribuée aux convives[27]. C'est lui qui préside. A la fin du repas il prononce un discours qui a été rédigé en collaboration par Geffroy, « mais personne ne l'entendit car il le murmura dans les flots de sa barbe et l'émoi de sa timidité[28] ».

Ces manifestations doivent être considérées non seulement comme des témoignages de sympathie mais comme des prises de position en faveur de l'auteur du *Balzac*, car les adversaires n'ont nullement désarmé. Des articles satiriques ou passionnés attisent les esprits. L'un d'eux, dont l'effet est particulièrement percutant, paraît dans le *Gil Blas,* dont la rédaction est confiée à des écrivains notoires. D'une ironie très lourde, il est signé du romancier Félicien Champsaur : « Il n'est pas permis de citer ce nom Rodin, sans se prosterner; des critiques montent la garde autour du plus grand génie de ce siècle — que dis-je? « de tous les siècles », un très personnel et nerveux journaliste l'a écrit — et menacent de leur plume quiconque ne s'incline point jusqu'à terre, sans discuter leurs jugements tyranniques, en humiliant avec des paroles de respect artistique la splendeur formidable de Michel-Ange devant le maître infécond qu'ils acclament pour leur originalité. C'est une habileté de snobs de la littérature, du journalisme, des salons, du boulevard... de créer des dieux momentanés, peu ou point gênants, Rodin, M. Mallarmé, le prince des poètes, un fantoche littéraire, Rodin, fameux surtout par une *Porte de l'Enfer* qui ne sera jamais achevée, mieux, qui n'existe plus, car elle n'est sortie autrefois d'un magnifique rêve que pour y rentrer, enfin une statue de *Balzac* qu'il ne peut pas faire... Balzac doit avoir sa statue, et par l'inertie de M. Rodin, celui qui a le droit immortel de surgir en plein Paris est encore enseveli dans le marbre informe; il le sera longtemps si M. Rodin ne se démet, si on ne fait pas appel à un autre[29]. »

Rodin décide d'envoyer son *Balzac* au Salon de 1898. Pour compenser son audace, on lui a conseillé de placer en face *le Baiser* qui, croyait-on, devait séduire tout le monde. Mais le public n'avait d'yeux que pour la statue qui avait provoqué tant de bagarres, et on la brocardait à qui mieux mieux. Bourdelle, furieux, allant de l'une à l'autre, répétait de façon à être entendu de tous, en direction du *Baiser* : « Ça c'est charmant! » Puis, vers *Balzac* : « Mais ça c'est de la grande sculpture! »

Avait-on jamais vu, à propos d'une œuvre d'art, se déchaîner des polémiques aussi vives et aussi étendues? L'affaire de *l'Olympia*, les involontaires scandales de Cézanne, s'étaient passés, somme toute, dans le monde assez restreint des amateurs d'art. L'affaire du *Balzac* va enfiévrer un vaste public. Les fureurs qu'elle allume de part et d'autre ont des échos sur les boulevards et jusque dans la foule. Les membres du comité de la Société des gens de lettres se réjouissent du résultat. Eriger *le Balzac* sur une place publique ne serait-ce pas impossible, après ces réactions parisiennes si affirmées? Un historien militaire, Alfred Duquet, vice-président du comité qui, depuis l'origine de l'affaire, a pris la tête du combat contre Rodin, propose l'ordre du jour suivant : « Le comité de la Société des gens de lettres fait défense à M. Rodin de couler en bronze le plâtre de la statue exposée au Palais des Machines, attendu que lui ayant commandé une statue, il se refuse à recevoir un travail qui n'a rien de la statue. » (Quel style, en ce lieu!)

D'aucuns trouvent que le ton est tout de même trop insolent. L'assemblée est houleuse. Le président Henri Houssaye émet une idée géniale. On fera comprendre au conseil municipal — ce ne sera pas trop difficile — qu'il doit refuser un emplacement sur la voie publique. Les conseillers juridiques font remarquer que ça ne changerait rien. Un contrat est un contrat. Celui-ci n'a jamais stipulé que si la statue ne plaisait pas il serait dénoncé. La Société devra accepter le monument et le payer dans les conditions convenues. La discussion devient confuse. On finit par adopter une motion rédigée par Henri Lavedan qui « sauve l'honneur de la Société » : « Le comité de la Société des gens de lettres a le devoir et le regret de protester contre l'ébauche que M. Rodin expose au Salon et dans laquelle il se refuse à reconnaître la statue de *Balzac*. » Le texte est communiqué à la presse.

« L'ébauche ? » On a feint de croire que c'est une ébauche. « Reconnaître la statue de Balzac. » On ignore les travaux minutieux auxquels le statuaire s'est livré pour cerner les traits de l'écrivain et l'esprit de son génie.

La lecture de ce document dans les journaux soulève l'indignation de nombreux artistes. Les amis de la première heure rédigent une protestation : « Les amis et admirateurs de Rodin, considérant que l'ordre du jour voté par le comité de la Société des gens de lettres,

ÉTUDE DE TÊTE POUR LE BALZAC

est sans importance au point de vue artistique, encouragent de toute leur sympathie l'artiste à mener à bonne fin son œuvre sans s'arrêter aux circonstances actuelles et expriment l'espoir que, dans un pays noble et raffiné comme la France, il ne cessera d'être, de la part du public, l'objet des égards et du respect auxquels lui donnent droit sa haute probité et son admirable carrière. »

Le texte est imprimé et envoyé à de nombreuses personnalités. Il est alors paraphé de signatures d'écrivains et d'artistes qui viennent de tous les points de l'horizon. A la suite de ce succès, une souscription est lancée. Des journaux, des revues, des éditeurs adressent leur offrande en motivant leurs raisons. La veuve de Carpeaux propose d'envoyer le buste en terre cuite d'une des figures de *la Danse*.

Rien ne sert mieux la notoriété d'un artiste que le scandale. Rodin ne l'a pas cherché. C'est absolument contraire à sa nature. Il a traversé des crises d'abattement. Habituellement si sûr de son œuvre, on l'a vu regarder avec anxiété la statue qui a provoqué de tels déchaînements de passions. Et s'ils avaient raison ? Et si cette statue était vraiment la « monstruosité » que l'on stigmatise à la commission des travaux d'art du conseil municipal ? Son ancien ami Dalou n'a-t-il pas répondu qu'il ne voulait pas se joindre aux pétitionnaires parce que le souvenir de leur vieille amitié lui « interdit de participer à cette nouvelle erreur où l'enchaînent de maladroits amis » ?

Mais maintenant se lève une nouvelle troupe de défenseurs. *Le Figaro* a pris la tête du mouvement. Dans ses chroniques de *l'Echo de Paris*, Emile Bergerat stigmatise ceux qu'il nomme « les chands de lettres ». Et des revues aussi sérieuses que *la Revue des deux mondes* ou *la Revue de Paris* publient des articles pleins d'admiration.

Après avoir été surpris par ce tumulte, Rodin retrouve un peu de sa sérénité. Des amis l'encouragent à défendre son œuvre, à exiger que la Société respecte son contrat, à plaider s'il le faut... Ah ! non, maintenant il veut avant tout la paix.

Elle n'est pas facile à obtenir. En même temps que les coupures de presse, des témoignages de sympathie lui arrivent de France et de l'étranger. Son atelier de la rue de l'Université est envahi par les admirateurs et par les simples curieux. Il n'ose même plus s'y rendre. Ce n'est pas ce genre de célébrité qu'il aurait souhaité.

Deux lettres lui parviennent en même temps : l'une est signée d'Auguste Pellerin, le célèbre collectionneur des toiles de Cézanne. Il demande à acheter la statue dont il offre vingt mille francs. L'autre vient de Belgique, elle émane d'un groupe d'amis influents : « Nous souhaitons vivement que la Société des gens de lettres refuse votre statue. Nous vous prions alors de bien vouloir consentir à nous la céder. On aime Balzac à Bruxelles. Votre œuvre se dressera sur l'une de nos places. »

La souscription a atteint le prix fixé (trente mille francs avec le socle conçu par Frantz Jourdain).

Les offres sont séduisantes. Mais Rodin, non sans raison, craint que la politique ne s'en mêle. Clemenceau, avec sa brutalité coutumière, a déclaré qu'il retirait son nom de la pétition parce qu'il savait que Rodin avait exprimé la crainte d'y voir un trop grand nombre d'amis de Zola. Les passions sont montées à un tel point que le clan des amis de Dreyfus et celui de ses adversaires ne savent plus apprécier quoi que ce soit, même totalement étranger à *l'Affaire,* qu'en fonction des opinions supposées des personnes. Mais Rodin, pour qui l'art est au-dessus de ces querelles, a toujours voulu se placer en dehors des passions politiques.

Il prend alors la décision d'envoyer tout le monde promener. Il le fait d'ailleurs avec la plus grande politesse. Il écrit aux amis qui ont mené la campagne de souscription : « J'ai le désir formel de rester seul possesseur de mon œuvre. Mon travail interrompu, mes réflexions, tout l'exige maintenant. Je ne demande à la souscription que les noms généreux qui y sont, en témoignage et récompense de mes efforts. Et vous, plus enthousiastes encore, anciens amis de tout temps, à qui je dois peut-être la possibilité de faire de la sculpture, plein d'émotion, je vous dis merci. »

Le lettre est rendue publique. Les souscripteurs sont remboursés. Il gardera son *Balzac* pour soi.

Et comme le Salon où il est exposé est encore ouvert et que certains n'y viennent que dans le but de se livrer à de petites manifestations outrageantes, il adresse une note à la presse pour annoncer qu'il retire son monument du Salon et que celui-ci « ne sera érigé nulle part ».

La Société des gens de lettres est victorieuse. Mais c'est le vaincu qui garde l'honneur, tout l'honneur.

La Société s'adresse alors à Falguière qui répond oui tout aussitôt, s'engageant à terminer la statue pour la date du centenaire de Balzac, soit avant dix mois. Rodin n'en paraît pas éprouver la moindre amer-

tume. Non seulement il ne témoigne pas rancune à son confrère, mais, chose curieuse, leurs liens d'amitié se resserrent. Il faut dire que Falguière est un excellent homme et qu'il fait tout ce qu'il faut pour ne pas blesser Rodin dont il sait le caractère ombrageux. Sachant que son ami apprécie sa peinture, il lui envoie une grande toile représentant des nymphes jouant dans la campagne. Rodin la gardera toujours près de lui. Afin que le public n'ignore rien de leurs liens de sympathie, ils conviennent d'exécuter réciproquement leur buste et de les exposer — ce qui fut fait au Salon de 1899 où Falguière présentait la maquette d'un *Balzac* anecdotique.

Ces manifestations d'amitié étaient bien gentilles pour Rodin — et très profitables pour Falguière. Mais celui-ci mourut avant d'avoir pu terminer son monument, dont la taille fut confiée à Paul Dubois. La Société des gens de lettres jouait de malheur. Le centenaire de Balzac était passé. La statue ne fut inaugurée qu'en 1902. Au milieu des fleurs de rhétorique elle tourna en manifestation à l'honneur de Rodin.

Il y assistait, souriant, et le public tournait les yeux vers lui. Abel Hermant, président de la Société, en remettant le monument de Falguière au Conseil municipal, prononça ces paroles : « L'œuvre que vous avez devant vos yeux est trop forte pour que je craigne d'évoquer ici des souvenirs concurrents; le nom de Falguière est trop grand pour que je craigne de lui porter ombrage en prononçant le grand nom de Rodin. C'est mon devoir. Falguière, s'il m'écoutait, ne me pardonnerait pas d'y manquer. J'aurais beau me taire, votre mémoire serait fidèle et réparerait mon omission; car, même en regard du *Balzac* vivant, tangible, qui est ici, le fantôme de l'autre persiste, plane, obsédant et inoubliable. » Ces mots déchaînèrent les assistants qui, debout, acclamèrent l'auteur de la statue refusée.

Balzac était écarté. Mais il vivait intensément. Il se dressait dans le jardin de Rodin, au milieu des arbres et des fleurs, et il prenait une dimension imprévue. Ceux qui l'ont vu à cette époque, solitaire, mystérieux, debout comme un menhir à masque humain, disent l'avoir à peine reconnu lorsqu'il fut planté, à peine discernable, à

BALZAC. DÉTAIL

l'embranchement d'un carrefour parisien bruyant et agité. Mais tel est aujourd'hui le sort de la statuaire publique. Autrefois conçue pour participer à un ensemble monumental, axe de gravitation de l'architecture composée en son honneur, la statuaire urbaine est devenue accessoire surajouté, flottant au gré des modes, des mouvements de pensée et des hasards de la politique, placée au petit bonheur la chance en quelque endroit où elle n'encombrera pas trop la circulation.

Le modèle en plâtre, des maquettes parurent de temps en temps notamment en 1908, quand fut inauguré le musée de la maison de Balzac, rue Berton.

Même absente, l'image du Balzac restait gravée dans la mémoire de ceux qui en avaient subi l'emprise. La plupart des articles sur l'œuvre de Rodin la situait au premier plan. Jamais sculpture n'avait recueilli d'aussi nombreux et pénétrants commentaires.

Rilke notait : « Sur la nuque forte s'appuyait la chevelure et renforcé dans les cheveux, se trouvait un visage qui regardait, qui était dans l'ivresse de regarder, où la création écumait : le visage d'un élément. » Léon Daudet écrivait : « Ce *Balzac* est à la fois celui de l'abandon, de la maladie de cœur et de *la Comédie humaine*. Il rejoint celui des *Choses Vues*, de Victor Hugo. Il a les artères lourdes, la tête dressée, les yeux cherchant le soleil et déjà envahis par l'ombre. Il sort de sa captivité littéraire et des déboires sentimentaux et conjugaux, pour entrer définitivement dans son rêve. C'est un halluciné presque agonisant, qui regarde l'immortalité face à face. Mais il est bien évident que la compréhension de ce chef-d'œuvre présuppose la connaissance de l'œuvre et de la vie de Blazac. Rodin fréquentait des passionnés de Balzac, notamment mon père et Geffroy. Il s'était imprégné de ces conversations sur Balzac, qui revenaient dans nos milieux, comme un refrain d'admiration et d'amour. C'est pourquoi il a réalisé, après bien des tâtonnements, ce fantôme exact et inouï, alors que la réplique du bon Falguière, au bout de la rue Balzac, n'est qu'un vague bonhomme engraissé. »

La statue fut naturellement exposée dès son ouverture, après la première guerre, au musée de l'hôtel Biron. Quand Georges Grappe

BALZAC

en devint le conservateur, en 1926, il jugea qu'il était du devoir de l'Etat de la faire couler en bronze. Il y en eut deux exemplaires dont l'un était destiné au musée d'Anvers qui s'était porté acquéreur.

L'idée cheminait de reprendre le vieux projet et d'élever la statue dans Paris. A présent, les esprits n'étaient-ils pas mûrs pour l'accepter? Avec une énergie et une persévérance dont elle avait déjà donné la preuve en faisant aboutir le projet du musée de l'hôtel Biron, Judith Cladel s'employa à constituer un comité dont Georges Lecomte, vieux militant des premiers combats, accepta de prendre la présidence. Après trois ans d'efforts, de démarches près de bureaux et de stations dans les antichambres ministérielles, le comité de la Société des gens de lettres était alors convaincu qu'il lui fallait réparer l'erreur de ses prédécesseurs, il fut décidé que *le Balzac* serait élevé sur le terre-plein situé à l'angle du boulevard Raspail et du boulevard Montparnasse.

La cérémonie officielle fut brillante. L'honneur de dévoiler la statue fut confié aux deux plus grands sculpteurs de l'époque, Maillol et Despiau, qui avaient été les familiers de Rodin.

C'était le 1er juillet 1939, à la veille de la Seconde Guerre mondiale. Rodin était mort depuis vingt-deux ans.

La villa des Brillants

Rose se plaignait de sa mauvaise santé, et lui-même avait connu des défaillances. Ils décident d'abandonner l'obscur logement de la rue des Grands-Augustins et d'habiter la campagne. Les hauteurs de Bellevue, en 1894, c'est encore la campagne.

Il loue une maison située chemin Scribe. Ce chemin, non soumis à l'élagage réclamé maintenant par une administration qui veut tout à l'alignement, sinue alors sous les acacias et les lilas. La petite porte en lattis disparaît sous le lierre et le chèvrefeuille, mais, des fenêtres de l'autre façade, la vue s'étend vers le mont Valérien et sur les prairies des rives de Seine.

Rodin descend tous les jours à la gare pour se rendre dans l'un de ses ateliers parisiens; à ces moments-là, ce n'est pas toujours celui où l'attend le plus de travail... Sa compagne est affreusement anxieuse à la pensée qu'une intruse risque de la chasser à jamais loin de celui qu'elle a tant aimé, pour qui tant peiné : « M. Rodin devient si difficile, raconte-t-elle dans son entourage. (Elle l'a tou-

RODIN ET ROSE BEURET. VILLA DES BRILLANTS À MEUDON

jours nommé « Monsieur Rodin »). Ah! si jamais il me quittait! »
Le soir, elle le questionne avec acerbité.

Ils se réconcilient devant une bonne soupe aux choux. C'est sa gourmandise, le rappel des vieux souvenirs, et il dit que ce plat national a fait de solides Français. A la tombée de la nuit, il lui prend la main et ils partent tous les deux se promener dans les sentiers. Mais il reste silencieux. A quoi pense-t-il?... A Victor Hugo? A Balzac?... A Camille?...

Comme il n'a pas assez de place pour s'aménager un véritable atelier de sculpture (il s'est installé dans le grenier), il quitte cette charmante vieille maison deux ans plus tard. Pourquoi est-il tenté par la villa banlieusarde qu'il avait découverte sur la pente du coteau de Meudon? Sans doute parce qu'il y dispose d'un grand terrain entouré de vergers, qu'il y retrouve la vue sur la vallée de la Seine. Une longue allée de marronniers, presque plate, relie la maison à la route, mais, devant la maison, un jardin dévale en pente raide. Un petit bassin a été creusé dans un massif d'arbustes. Un perron, un salon et une salle à manger au rez-de-chaussée, deux chambres à coucher, soit quatre pièces assez exiguës et de la plus grande banalité... Voilà cette « Villa des Brillants » qui sera celle de Rodin au temps de sa grande brillance.

A vrai dire, si la propriété n'a pas été embellie, elle s'est agrandie par des constructions désordonnées, et elle s'est enrichie d'œuvres d'art. Dès qu'il l'eut acquise, Rodin a fait ajouter une grande pièce qui lui sert d'atelier où l'on pénètre par une véranda. Après l'exposition de 1900, il fait transplanter son pavillon de la place de l'Alma à côté de la villa. C'est un très grand hall éclairé par des arcades d'un faux style Louis XVI.

Puis voici qu'apparaît, dans ce désordre, l'amoureux de la grande architecture française. Le château d'Issy était devenu à son grand scandale, la proie des démolisseurs. Il réussit à acheter de grands fragments de la façade qu'il fait remonter au fond de son jardin. « Vous ne sauriez imaginer, dira Rodin, quelle horreur me saisit quand je vis s'accomplir ce crime. Jeter à bas ce radieux édifice! Cela me fit le même effet que si devant moi ces malfaiteurs avaient éventré une belle vierge[30]. » (Devant cette façade fut élevé le tombeau du sculpteur et de sa femme — et *le Penseur* semble veiller sur eux). On démolit alors le pavillon de l'exposition universelle.

L'intérieur de la villa des Brillants et de ses annexes est un capharnaüm. Nous voyons souvent des artistes extrêmement sensibles à la qualité des objets, ne l'être nullement à leur ordonnance.

La mode est alors aux meubles laqués blanc. Ils voisinent ici avec des meubles « de style », des guéridons et des vitrines, des vitrines partout et tournées dans tous les sens. Dans le salon-atelier, la carcasse d'un lit Renaissance sert à protéger les pièces fragiles.

LA CENTAURESSE

Presque tout l'argent que gagne Rodin passe dans ses collections. Il achète discrètement, pour le plaisir de jouir de la présence de beaux objets. Ainsi s'accumulent des bronzes égyptiens, des marbres romains, des vases grecs, des miniatures persanes, des statues de diverses époques, des peintures contemporaines telles qu'un très beau torse de Renoir et le fameux *Père Tanguy* de van Gogh. Un grand Christ gothique acquis précédemment l'a suivi dans ses déménagements. Sa curiosité est celle des artistes authentiques qui ne cherchent pas à pénétrer un secret mais qui se retrouvent dans une œuvre sincère et forte et communient spontanément avec elle. Rien de commun avec le bric-à-brac bien étudié qui sévit alors chez les

LA CENTAURESSE

artistes arrivés. Pour « faire artiste » ils drapent des brocatelles italiennes, des broderies espagnoles, ils déploient des tapis persans, des kakémonos et répandent un peu partout des torchères, des majoliques, des lutrins, des encensoirs dorés, des vases étrusques, des narguilés, et font voisiner une Vierge romane avec une turquerie de bazar. Il faut faire ostentation de sa fortune — pour tenir ses prix — de son originalité pour créer l'ambiance qui, en ce temps-là, met en condition l'éventuel amateur ou la femme du monde.

Le désordre de Rodin, au contraire, n'a rien de préconçu. Il fait toujours ce qui lui plaît, sans d'ailleurs s'occuper de ce qui peut convenir à son entourage. Quand il connaît le succès et peut avoir de « l'argent de poche », il trouve un grand bonheur à placer sous ses yeux des pièces, comme la réplique romaine du *Satyre* de Praxitèle, qui seront pour lui une source de joie et un enseignement continuel. S'il aime la nature et ne se rassasie jamais d'un beau corps nu, l'œuvre d'art

LES ILLUSIONS

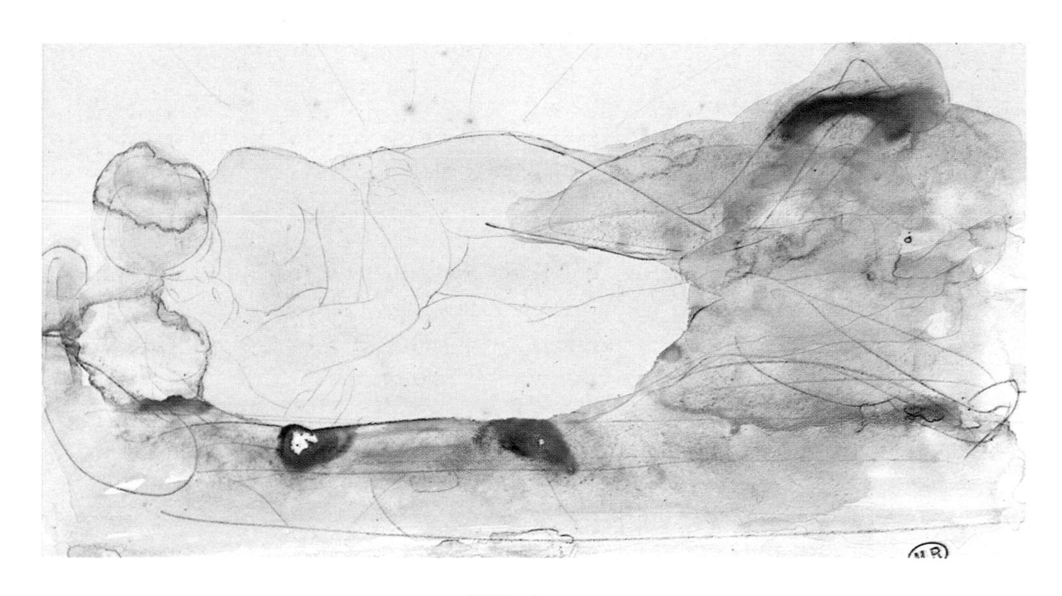

BILITIS

ne cesse jamais d'attiser sa curiosité, et jusqu'à ce que son esprit s'éteigne il en quête les leçons[31].

Rilke nous a laissé ses impressions sur ce « musée » : « Musée de statues et de fragments antiques, choisis avec un goût très personnel, qui contient des œuvres d'origines grecque et égyptienne, dont certaines surprendaient même dans les salles du Louvre, s'est formé et développé. Dans une autre pièce, il y a, derrière des vases antiques, des tableaux auxquels, sans chercher la signature, on donne leurs noms véritables : Ribot, Monet, Carrière, van Gogh, et, parmi des tableaux que l'on ne sait pas nommer, quelques-uns dus à Falguière qui fut un grand peintre. Il est naturel que les hommages ne manquent pas; les livres seuls forment une volumineuse bibliothèque, qui, bien qu'indépendante de son choix, ne l'entoure pas par hasard. Tous les objets sont entourés de soins; ils sont honorés, mais personne n'attend d'eux qu'ils répandent une atmosphère agréable ou confortable. On a presque l'impression de n'avoir jamais éprouvé des objets d'art de styles et d'époques les plus différents, chacun avec toute sa force singulière et isolée des autres, comme ici où ils n'ont pas l'air ambitieux ainsi que dans une collection, et ne sont pas non plus forcés à contribuer avec la fortune de leur beauté à un sentiment général et qui ferait perdre de vue chacun d'entre eux. Quelqu'un nous a dit une fois qu'ils étaient tenus comme de belles bêtes, et il a en effet bien défini dans ces termes les rapports que Rodin entretenait avec les choses qui l'entouraient; car lorsque, souvent, la nuit encore, il circule au milieu d'elles, prudemment, comme pour ne pas les réveiller toutes, et, avec un petit lumignon, finit par s'approcher d'un marbre antique, qui bouge, s'éveille et soudain se lève, c'est la vie qu'il est allé chercher et qu'il admire à présent : « La vie, cette merveille, comme il a écrit. »

Rodin aime d'ailleurs travailler dans l'encombrement de ses ateliers et y diriger ses praticiens. Si vastes et nombreux soient-ils, on les voit toujours surpeuplés par la foule de ses fantômes : maquettes de toutes dimensions, modèles de plâtre, marbres inachevés — et ses innombrables ébauches gardées pour le bonheur de ses historiens futurs. Il y en a partout en rangs serrés, par terre, dans des vitrines, sur des tables et sur des socles. Le jardin a reçu des fragments de sculptures antiques, mais disposés avec recherche. Des torses de nymphes apparaissent dans les feuillages. A l'entrée de l'atelier de la villa, un gros Bouddha hermétique indique aux visiteurs qu'ils pénètrent dans le temple du maître.

L'exposition de 1900 se prépare, bilan d'une fin de siècle et ouverture sur un monde nouveau. On n'y verra pas seulement vingt-deux mille six cents maires de France réunis autour du président de la République dans le plus gigantesque des banquets, mais de tous les coins du monde vont affluer des étrangers attirés par nos élégances et nos nouveautés. L'art moderne est désormais officiellement reconnu. *L'Olympia* est entrée au Luxembourg. La collection Caillebotte est acceptée par l'Etat. Parallèlement aux chefs-d'œuvre de l'histoire de l'art français, à côté des artistes du Salon, les novateurs (dont les impressionnistes au complet) seront accueillis à l'exposition de la « Centennale ». Rodin y aura sa place, naturellement, mais comme pour les autres, limitée.

Ce sculpteur révolutionnaire était, dans son comportement, le contraire d'un révolutionnaire. Né pauvre, resté pauvre jusqu'à la cinquantaine, il n'a jamais fait figure de rebelle. Attaché à son pays, à sa famille, comptant ses sous, il acceptait son sort. Mêlé à la vie ouvrière, il semble avoir ignoré les mouvements ouvriers et la pensée socialiste du XIXe siècle. Artiste avant tout, il suivait docilement l'enseignement de ses maîtres, vénérait l'Antique, chérissait les sculpteurs, les peintres et les architectes du XVIIIe siècle, par réaction contre ceux de son époque. Quand sa personnalité s'est imposée, c'est pourtant en opposition à celle de ses maîtres, et il s'est isolé avec une telle force qu'il reste sans ascendance et sans descendance dans l'histoire de l'art. Jamais il n'a songé à se poser comme un artiste original. Son instinct, son génie propre l'ont conduit à cette originalité supérieure qui place son œuvre en dehors et au-dessus de son temps.

Solitaire en sa sculpture, il sera solitaire à l'exposition. Il montrera toute son œuvre. Comme il ne peut être question qu'une telle ostension ait lieu dans l'enceinte de l'exposition il fera édifier un grand pavillon à côté. Après bien des tergiversations, de puissantes recommandations étant intervenues, la Ville finit par l'autoriser à construire place de l'Alma, sur les terrains d'angle du Cours-la-Reine, c'est-à-dire à côté de l'une des portes d'entrée de l'exposition.

Trois de ses amateurs ont prêté chacun vingt mille francs — lui même apportant le complément — pour édifier le bâtiment qui sera ensuite transplanté à Meudon.

Cent trente-six sculptures sont exposées — plus quatorze ébauches, pour arriver au chiffre de cent cinquante qu'il a voulu inscrire au catalogue. Il retrace sa vie d'artiste, depuis *l'Homme au nez cassé* jusqu'aux *Mauvais Génies entraînant l'homme*, sa dernière production. On y retrouve *Balzac* et l'on y trouve pour la première fois *la Porte de l'Enfer*, incomplète, étonnante, à peu près incompréhensible.

L'Exposition sacrifie moins que les précédentes aux inventions de l'industrie. Une vague d'esthétisme incite à accorder la place d'honneur aux arts décoratifs et aux arts plastiques. Curieux amalgames où éclate le désir de novation — dont le plus intéressant épisode, mais le plus éphémère, est le *modern style* — soumis aux influences les plus variées : préraphaélisme, japonisme, baroquisme

DEUX FEMMES ENLACÉES

issu des lignes contournées du Louis XV, références bâtardes à l'esprit classique, style androgyne, gracieux, fleuri, compliqué et surchargé d'ornements. La femme, objet précieux traité avec préciosité, est célébrée dans une sorte de liturgie mondaine. « La Parisienne » domine l'arche d'entrée. On découvre avec émerveillement les étranges volutes lumineuses de la Loïe Fuller et les gestes rituels de Sada Yacco.

Rodin a volontairement mis l'accent sur ses nus et sur ses groupes les plus ardents de sensualité. Il n'a présenté que très peu de bustes, estimant, à juste titre, que leur nombre engendrerait l'ennui; tandis que les visiteurs sont fort intéressés à déchiffrer à travers leurs complications les gestes de l'amour.

Une exposition réservée à un seul sculpteur, placée en dehors de l'enceinte officielle, et pour laquelle on réclame un franc d'entrée, ne pouvait guère aimanter le grand public. Si les visiteurs sont de qualité, ils ne se bousculent pas à la porte.

Le catalogue, sous une couverture nuageuse signée de Carrière, vise pourtant à la consécration définitive de l'auteur malheureux du *Balzac*. Une longue introduction d'Arsène Alexandre qui compare la plastique de Rodin à la musique de Wagner et stigmatise l'incompréhension du public à l'égard des deux grands artistes, est précédée de préfaces-manifestes dues à Carrière, Jean-Paul Laurens, Monet et Besnard. Suivent les notices descriptives des cent trente-six œuvres principales.

Rodin avait craint un lourd déficit. A la fermeture il fait ses comptes. Il n'est pas mécontent. « Peu d'entrées sur lesquelles je comptais beaucoup, écrit-il, mais beaucoup d'achats. » De nombreux musées ont acquis des pièces importantes. Copenhague lui consacre une salle particulière. Philadelphie, Hambourg, Dresde, Budapest lui ont passé des commandes — et ce n'est certainement pas fini. Au total il a vendu pour deux cent mille francs dont il retire un tiers pour les frais d'exécution en marbre ou en bronze, soit cent quarante mille francs. Ses frais se sont montés à cent cinquante mille francs. Il s'estime fort satisfait.

LE MAUVAIS GÉNIE

Au cours de ces dernières années, on a beaucoup parlé de lui, en bien ou en mal. Désormais son œuvre est authentifiée près de ceux qui, à cette époque, doivent composer *son* public. A cette aube du XXᵉ siècle — il a soixante ans — il commence à connaître la fortune et la gloire.

La villa des Brillants devient une sorte de sanctuaire pour ses disciples et pour ses admirateurs chaque jour plus nombreux. C'est

DANAÏDE ACCABLÉE

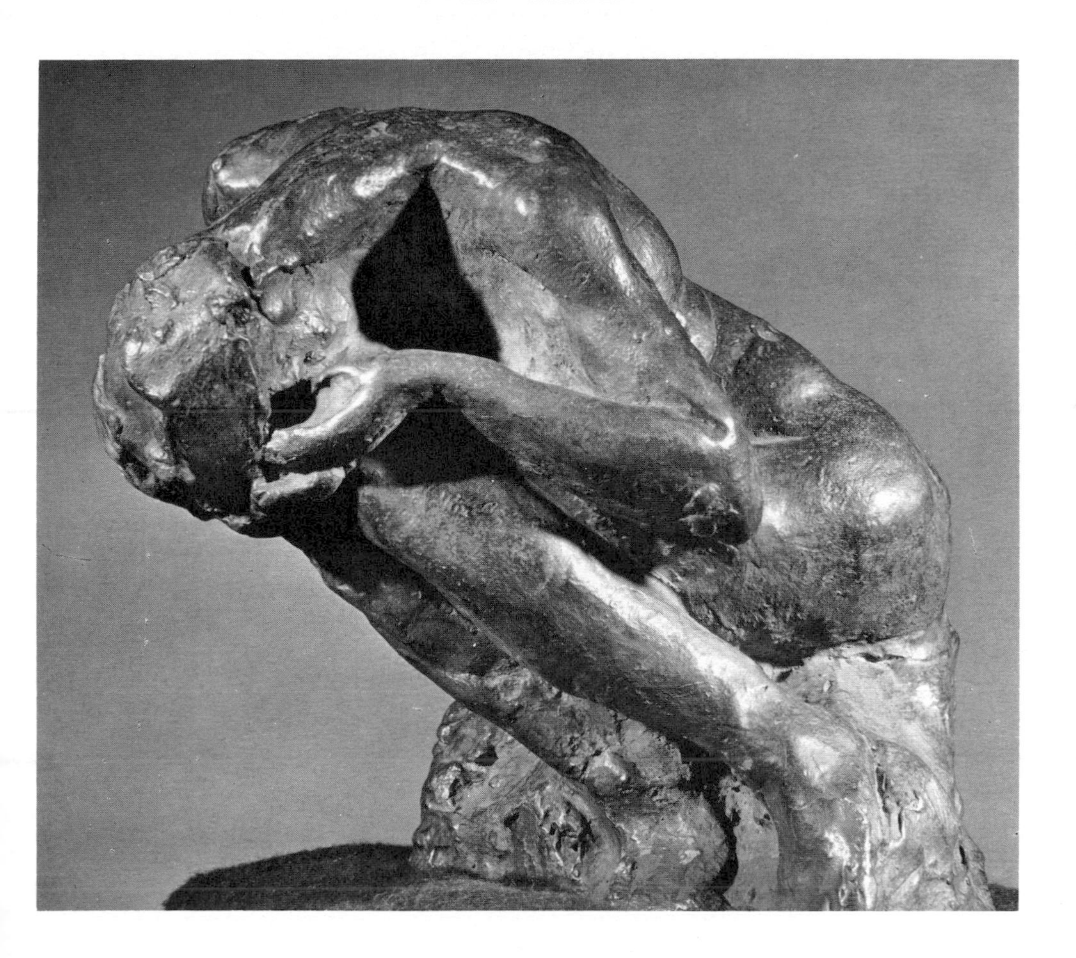

LE DÉSESPOIR

LA TEMPÊTE

aussi le carrefour qui fascine le Paris des arts, étend ses appels jusque dans les pays les plus lointains. Rodin accède au rang de vedette internationale.

A la suite d'un article de polémique à retardement, en 1908, où il est accusé d'avoir dupé les « Gens de Lettres » en leur fabriquant volontairement une « fumisterie », il reçoit un enquêteur du *Matin* et lui tient de très hautains propos : « Je ne me bats plus pour ma sculpture. Elle sait depuis longtemps se défendre par elle-même. Dire que j'ai bâclé mon *Balzac* à la blague est une insulte qui m'aurait fait bondir autrefois. Aujourd'hui je laisse passer et je travaille.

LE FRÈRE ET LA SŒUR

L'ADIEU

Ma vie est un long chemin d'études, me moquer des autres, ce serait me moquer de moi-même. Si la vérité doit mourir, mon *Balzac* sera mis en pièces par les générations à venir. Si la vérité est impérissable, je vous prédis que ma statue fera son chemin. Mais à l'occasion de cette méchanceté qui fera long feu, je tiens à vous dire ceci : il est temps que ce soit affirmé, et très haut. Cette œuvre dont on a ri, qu'on a pris soin de bafouer parce qu'on ne pouvait pas la détruire, c'est la résultante de toute ma vie, le pivot même de mon esthétique. Du jour où je l'eus conçue, je fus un autre homme. Mon évolution

MOUVEMENT DE DANSE

fut radicale : j'avais renoué entre les grandes traditions perdues et mon propre temps un lien que chaque jour resserre davantage. On plaisantera peut-être cette déclaration. J'en ai l'habitude et je ne crains pas l'ironie. Je l'affirme donc très nettement : *le Balzac* fut pour moi un émouvant point de départ, et c'est parce que son action n'est pas limitée à ma personne, c'est parce qu'il constitue, en soi, un enseignement et un axiome que l'on se bat encore sur lui et qu'on se battra encore longtemps. La bataille continue, *il faut* qu'elle continue. *Balzac* a contre lui les docteurs de la loi esthétique, l'immense majorité du public et la plus grande partie de la presse critique. Qu'importe, il se fraiera par force ou par persuasion une voie vers les esprits. Il y a de jeunes sculpteurs qui viennent le voir, ici, et qui pensent à lui en redescendant les sentiers dans la direction où leur idéal les appelle. »

Cette noble déclaration outrepassait la vérité. S'il a mille fois raison de défendre la statue qui a tant fait couler d'encre et fait dire tant de stupidités, peut-il affirmer que c'est pour lui un « point de départ » et qu'après cela son « évolution fut radicale »? Oui, c'est vrai qu'il devint alors « un autre homme »; mais c'est surtout parce que les éclats qui s'étaient produits autour de son nom, et avaient en partie provoqué sa glorieuse ascension, agissaient sur son comportement. Il avait changé de personnage. Il reste le même homme. Simple par nature, et même naïf en certaines circonstances, il est sensible aux fumées d'encens qui se répandent autour de lui. Il est monté sur les cimes, et, toujours avec une étonnante candeur, tient, en souriant et en sourdine, des propos définitifs.

Son œuvre n'a pas marqué de tournant. Mais elle s'est raréfiée. Il reprend ses études anciennes, qu'il mène à bien. Il fait davantage confiance à ses excellents praticiens. De ses ateliers sortiront encore des sculptures admirables, mais il n'exécutera plus de grands monuments. Sans doute n'y est-il guère encouragé par le souvenir de ses difficultés avec les administrations, des disputes fatigantes, de ses innombrables recherches sans aboutissement. Maintenant, des écrivains illustres, des ministres, des ambassadeurs gravissent le coteau de Meudon. En 1908, il reçoit la visite d'Edouard VII et

DANSEUSE CAMBODGIENNE

APRÈS LA PRIÈRE

imagine en son honneur une mise en scène de son atelier très réussie. Tout y est, pour une fois, ordonné.

Certaines personnalités demandent parfois, par politesse, à présenter leurs hommages à « Madame Rodin ». Rose quitte alors son ménage et arrive en s'essuyant les mains à son tablier bleu.

Sans briguer abusivement les honneurs officiels, il les reçoit avec satisfaction. Il est invité aux réceptions de l'Elysée, aux grands dîners ministériels, et il est honoré tout comme un membre de l'Institut. Il a rapidement gravi trois échelons dans la Légion d'honneur. Presque tous les pays avec lesquels il est en relation, et où il a exposé, lui ont accordé des distinctions d'un ordre national. A Londres, on lui a fait fête lors de l'inauguration de sa statue de *Saint Jean-Baptiste* et l'enthousiasme fut tel que les étudiants de South-Kensington dételèrent les chevaux de sa voiture officielle pour la traîner. Il y est retourné plusieurs fois. Après les allocutions des banquets, alors que les convives s'attendent à un petit discours de remerciement, inapte à prendre la parole en public, il se contente d'exprimer sa reconnaissance d'un geste de la main. Mêmes honneurs de la part de la municipalité de Prague où il a envoyé un *Bourgeois de Calais*. Bien qu'il n'ait jamais voulu, par sentiment patriotique, se rendre aux invitations de l'Allemagne, il reçoit le diplôme de docteur *honoris causa* de l'Université de Iéna, après avoir reçu celui de l'Université d'Oxford. Il ne paraît pas avoir souci de ces toges universitaires adressées à un tardif autodidacte resté au niveau des classes enfantines.

Une fête beaucoup plus familière avait été organisée en 1903, par de jeunes sculpteurs ou praticiens dans le jardin d'un restaurant de Vélizy. Bourdelle y avait apporté une réduction de *L'Homme qui marche* qui fut juchée sur une colonne, et prononça un discours si émouvant que Mirbeau en avait les larmes aux yeux. Ses amis et ses praticiens étaient là, Maillol, Schnegg, Dejean, Arnold, Pompon, et aussi de belles dames. Isadora Duncan, qui venait de connaître ses premiers succès à Paris, dansa en son honneur. Rodin et Bourdelle, par la suite, devaient faire d'étonnants dessins de celle qui, pour eux, incarnait la danse même.

Passant sa journée dans ses ateliers, presque toujours debout, marchant beaucoup de l'un à l'autre, revenant souvent le soir à Meudon par le bateau, d'où il a encore à grimper pour rejoindre sa maison, cet homme robuste éprouve le besoin de se promener dans la campagne. Sa vie à Meudon le lui permet facilement. Il aime se rendre à Versailles et, pour faire plaisir à Rose, travailleuse infatigable, mais qui goûte peu les longues marches, il se fait conduire en voiture. Les arbres, les prairies, les labours, les bêtes, les fleurs, les plantes, tout est sujet d'émerveillement.

Il nous a peu laissé de ses impressions sur le château et les jardins de Versailles. Citons une note recueillie probablement sur une feuille volante, ou sur une de ses manchettes (son habitude quand il voulait saisir une sensation toute fraîche) : « Cette partie du jardin a un caractère religieux, qu'il reçoit de ce vase, si beau, au milieu du parterre. Et ce caractère se communique aux arbres qui se touffent autour de l'allée circulaire. » En quelques mots tout est dit.

Ses voyages sont presque toujours motivés par des raisons professionnelles. Il se plaît à la villa des Brillants et ne voit pas la nécessité d'aborder les complications des transports et de la vie d'hôtel. Pourtant, en 1906, il se laisse convaincre par son ami le peintre Zuloaga et visite avec lui l'Andalousie. Mais il semble que les somptuosités hispano-mauresques soient loin d'effacer les impressions que peut lui procurer une petite église de France.

La même année il se rend à Marseille, mais avec quel enthousiasme! C'est pour suivre les danseuses cambodgiennes, déjà assidûment étudiées lors de leur passage à Paris, et dont il a laissé des dessins qui comptent parmi ses plus captivants. « Ce qui surtout m'étonnait, écrit-il, c'était de retrouver dans cet art d'Extrême-Orient, inconnu de moi jusqu'alors, les principes mêmes de l'art antique. Devant des fragments de sculpture très anciens, si anciens qu'on ne saurait leur assigner une date, la pensée recule en tâtonnant à des milliers d'années vers les origines : et tout à coup la nature vivante apparaît, et c'est comme si ces vieilles pierres venaient de se ranimer! Tout ce que j'admirais dans les marbres antiques, ces Cambodgiennes me le donnaient, en y ajoutant l'inconnu et la souplesse de l'Extrême-

Orient. Quel enchantement de constater l'humanité si fidèle à elle-même à travers l'espace et le temps! Mais à cette constance il y a une condition essentielle : le sentiment traditionnel et religieux. J'ai toujours confondu l'art religieux et l'art : quand la religion se perd, l'art est perdu aussi ; tous les chefs-d'œuvre grecs, romains, tous les nôtres, sont religieux. C'est parce que Sisowath et sa fille Samphondry, directrice du corps de ballet royal, prennent un soin jaloux de conserver à ces danses la plus rigoureuse orthodoxie, qu'elles sont restées belles. La même pensée avait donc sauvegardé l'art à Athènes, à Chartres, au Cambodge, partout, variant seulement par la formule. Comme j'avais reconnu la beauté antique dans les danses du Cambodge, peu de temps après mon séjour à Marseille, je reconnus la beauté cambodgienne à Chartres, dans cette attitude du grand Ange, laquelle n'est pas, en effet, très éloignée d'une attitude de danse[32]. »

Les cathédrales

Depuis son séjour en Belgique, Rodin a parcouru la France, visitant les églises et les cathédrales sans se lasser de les interroger. C'est pour lui la sublime leçon, la pure expression du génie français, le lien désormais perdu avec l'Antiquité. Son « passéisme » est intransigeant. Toute la beauté transmise d'âge en âge s'est évanouie après le XVIIIe siècle parce que alors la compréhension de la nature a disparu, parce que l'esprit de simplicité s'est égaré dans les recherches orgueilleuses du « progrès ».

Autant qu'il le peut, il renouvelle ses visites solitaires, guettant les ombres et les lumières aux heures du jour et des saisons, chaque fois s'exaltant devant l'œuvre de ces « graves artistes » qui travaillaient dans une allégresse partout sensible, devant « ces grandes ombres et ces grandes lumières portées par les seuls plans essentiels, sans maigreur et sans pauvreté parce que la demi-teinte y domine ». Il se reconnaît dans le labeur de ces artisans qui, disait-il, n'étaient pas des *élèves*, mais des *disciples*.

RODIN DANS SON ATELIER

Son livre sur *les Cathédrales de France* est composé d'un choix mis en forme des innombrables notes où il relatait ses impressions en désordre au cours de ces pèlerinages poursuivis pendant plus de trente ans[33].

Bien qu'il ait voulu le préfacer par une « initiation à l'art du Moyen Age », n'y cherchons pas trop de précisions archéologiques. Sans doute a-t-il instinctivement compris les grandes lois d'équilibre qui régissent l'architecture gothique et lui confèrent sa puissance et son unité. Sans doute a-t-il senti les subtiles connivences du modelé de la statuaire et du modelé de l'architecture; mais nous sommes aujourd'hui plus difficiles. C'est un livre d'enthousiasme et d'effusion.

« Pour comprendre ces lignes tendrement modelées, suivies et caressées, il faut avoir la chance d'être amoureux. » Cet amour du cœur et des sens, il le répand partout, et il le sent partout répandu, dans la nature, dans les paysages et les ciels qui participent à la vie du monument, et dans les femmes qui viennent s'y agenouiller. Entendons-le parler des moulures qui « représentent et signifient toute la pensée du maître d'œuvre », et que d'humbles et savants artisans ont « modelées comme des lèvres de femme ».

Son amour de la beauté des femmes et de celle des églises arrivent à se fondre. A Beaugency, c'est « une petite Française vue à l'église... Un petit muguet fleuri, dans une robe neuve... La volupté est encore étrangère à ces lignes adolescentes. Quelle grâce modeste! Si cette jeune fille savait regarder et voir, elle reconnaîtrait son portrait dans tous les portails de nos églises gothiques, car elle est l'incarnation de notre style, de notre art, de notre France. Placé derrière elle, je ne voyais que le chiffre général de sa personne et le rose velouté de sa joue d'enfant-femme. Mais elle lève la tête, se détourne un instant de son petit livre, et un profil de jeune ange apparaît. C'est, dans tout son charme, la jeune fille de la province française : simplicité, honnêteté, tendresse, intelligence, et ce calme souriant de l'innocence vraie, qui se propage comme une douce contagion et verse la paix dans les cœurs les plus troublés. »

Nevers lui inspire des réflexions sur ce qui unit la grande architecture à travers le temps, et il associe l'Antique aux subtiles émotions ressenties sous les voûtes gothiques : « L'esprit qui créa le Parthénon est le même esprit qui créa la Cathédrale. Divine beauté! Il y a seulement ici, plus de finesse : il y a, si j'ose dire, un brouillard lumineux, où la lumière non striée dort, comme dans les vallons. Ceux qui ont visité ces nefs aux heures du matin me comprennent. »

Si la cathédrale gothique l'émeut par-dessus tout, il associe tous les grands siècles dans son admiration. L'art roman, il l'avait méprisé dans sa jeunesse, mais maintenant... « Quelle étonnante beauté conservent ces bas-reliefs *barbares*, romans! C'est que le plan antique est leur tissu : les fautes de formes ne peuvent rien contre la beauté du style. Quand j'étais jeune, je trouvais tout cela affreux. C'est que je regardais avec des yeux de myope; j'étais ignorant, comme tout le monde. Plus tard, j'ai vu ce qu'on faisait de mon temps et j'ai compris où étaient les barbares. »

« Le roman est le père des styles français. Plein de réserve et d'énergie, il a produit toute notre architecture. C'est encore et toujours à son principe que l'avenir devra penser. Ce style, neuf, qui contenait le germe de la vie, fut parfait dès sa phase primitive, et la corne d'abondance n'est pas épuisée : elle est inépuisable. »

Dans cet acheminement des âges, il a pourtant des exclusives. Il méprise la période qui s'étend entre l'apogée gothique du XIIIe siècle et la Renaissance et plus encore ce qui a été produit après la grande défaillance qu'il situe vers 1820. La Renaissance, il l'a comprise peut-être mieux que personne à cette époque où régnait l'esprit de Viollet-le-Duc. Ainsi célèbre-t-il le portail de la petite église de Monjavoult : « La divine Renaissance, qui n'avait pas l'idolâtrie de la métropole, faisait aussi beau pour les paysans que pour les rois. »

Et il fut sans doute alors le seul à sentir l'importance de la communion du monument avec son entourage, avec son quartier : « Il y a à Blois une rue si gracieuse, à la voir en raccourci, qu'on a, de ce point de vue, la sensation d'un monument. Grâce discrète, qui caresse les yeux et le cœur de l'artiste et que j'ai goûtée dans tant de villes de province. On retrouve dans ces perspectives le charme du monument même qui fait la gloire de la petite ville. »

Rodin voit dans toute beauté l'œuvre de Dieu. En parlant des bâtiments et des sculptures des cathédrales, il conclut que « l'art et la religion donnent à l'humanité toutes les certitudes dont elle a besoin pour vivre et qu'ignorent les époques embuées d'indifférence ». Mais s'il entre dans les églises en homme religieux, il n'y entre point en croyant. Dans l'étonnante description visuelle et auditive qu'il a donnée d'une grand-messe solennelle à Limoges, et malgré ces « syllabes latines tant aimées », il a tout oublié de son temps de noviciat. C'est une messe d'esthète. Elle lui semble même personnellement destinée et il a cette phrase inattendue : « Le Mystère est accompli, le Dieu est sacrifié — comme le sont à son exemple, journellement, les hommes de génie qui procèdent de son inspiration. »

Dans sa passion pour les églises il reçoit des blessures qui l'atteignent profondément. C'est une obsession. Il y revient constamment. Ce qu'il nomme « le crime moderne ».

Le crime ? C'est « l'abandon des cathédrales ; pis encore leur meurtre et leur travestissement ». Et il s'en prend aux architectes inconscients, ceux qui n'ont pas compris ce qu'est l'équilibre, la mesure, la modestie, l'amour. Il anathémise les restaurateurs et tous ceux qui ont oublié que les cathédrales sont les maisons du peuple et ses citadelles.

Son indignation s'exprime alors avec une singulière éloquence. Elle se répercute, chez ce timide, avec d'âpres violences.

« Je suis l'un des derniers témoins d'un art qui meurt. L'amour qui l'inspira s'est épuisé. Les merveilles du passé glissent au néant, rien ne les remplace et tout à l'heure nous serons dans la nuit. Les Français sont hostiles aux trésors de beauté qui glorifient leur race, et sans que personne intervienne pour garder ces trésors, ils les frappent, ils les brisent, par haine, par ignorance, par sottise, ou, sous prétexte de les restaurer, ils les déshonorent. (Ne me reprochez pas d'avoir déjà dit tout cela : je voudrais le répéter sans cesse, aussi longtemps que persistera le mal !) Que j'ai honte pour mon temps ! Que l'avenir m'épouvante ! Je me demande avec horreur quelle est, dans ce crime, la responsabilité de chacun. Ne suis-je pas maudit moimême, avec tous ? »

Il cherche à comprendre comment nous pouvons vivre près de tant de belles choses sans les voir. Les modernes sont pourtant privilégiés. « N'avons-nous pas dans nos musées l'Egypte, l'Assyrie, l'Inde, la Perse, la Grèce, Rome ? Sur notre sol les vestiges sublimes du Gothique, du Roman, et ces charmantes merveilles, nos vieilles maisons, belles de proportions jusqu'au Premier Empire inclusivement, si sévèrement élégantes dans leur style d'autrefois, avec cette grâce éloquente jusque dans sa réserve, et quelquefois inscrite dans un simple bandeau sans moulures ? Nous avons tout cela et nos architectes font les bâtisses que vous savez. Dans la statuaire, le moulage sur nature, cette plaie cancéreuse de l'art, prospère ! »

LE CHRIST ET LA MADELEINE

Il voudrait que son livre sur les cathédrales — dans ce mot symbolique il range toutes les églises et même tous les monuments du passé — fût un livre de protestation et d'action. Il force la voix pour appeler au secours. « La cathédrale meurt, et c'est le pays qui meurt, frappé et outragé par ses propres enfants. Nous ne pouvons plus prier devant l'abjection de nos pierres remplacées. On a substitué aux pierres vivantes — qui sont au bric-à-brac — des choses mortes. » Et s'il chante son amour pour les cathédrales, c'est pour apprendre aux foules à voir et à s'émouvoir.

Que disaient alors ces messieurs des Monuments Historiques auxquels s'adressaient implicitement ces invectives. Eh bien, ils ne disaient rien. Ils méprisaient cet artiste qui ne connaissait pas leur métier, qui leur parlait d'amour, qui vaticinait, quand eux travaillaient aux restaurations selon les méthodes qui leur avaient été enseignées.

Et pourtant il les lardait d'exemples précis : « A Laon, le silence du sanctuaire a perdu sa signification réelle, maintenant que les vitraux du sanctuaire sont remplacés. Ces colonnes ne sont plus que banales maçonneries; elles ne portent plus rien, que des blessures. »

La cathédrale de Reims, sur laquelle il nous a donné ses impressions ressenties à toute heure du jour et de la nuit, est celle qui le fait le plus souffrir (notons bien que c'était avant l'incendie) : « Je suis plus choqué, peut-être, ici que partout ailleurs par les restaurations. Elles sont du XIXe siècle et, depuis cinquante ans qu'elles sont faites, elles se patinent, mais ne trompent pas. Ces inepties d'un demi-siècle voudraient prendre rang parmi les chefs-d'œuvre! Toutes les restaurations sont des copies, c'est pourquoi elles sont d'avance condamnées, car il ne faut copier — laissez-moi le répéter! avec la passion de la fidélité — que la nature : la copie des œuvres d'art est interdite par le principe même de l'art. Et les restaurations — sur ce point aussi je veux insister encore — sont toujours molles et dures en même temps; vous les reconnaîtrez à ce signe. C'est que la science ne suffit pas à produire la beauté. Voyez, par exemple, au fronton de Reims, le pignon de droite. Il n'a pas été retouché. De cet amas puissant sortent des fragments de torse, des draperies, des chefs-d'œuvre massifs. Un simple, sans même bien comprendre peut, s'il est sensible, connaître ici le frisson de l'enthousiasme. Ces morceaux, cassés par places comme ceux du British Museum, sont comme eux admirables en tout. Mais regardez l'autre pignon, qu'on a restauré, : il est déshonoré.

Et ces chapiteaux, refaits aussi, qui représentent des branches et des feuilles : la couleur est uniforme, plate, nulle, parce que les ouvriers ont employé l'outil de face, à angle droit contre le plan de la pierre. Par ce procédé on n'obtient que des effets durs, identiques; autant dire pas d'effets. Le secret des Anciens, sur ce point du moins, n'est pourtant pas bien compliqué, et il serait facile d'y revenir. Ils maniaient l'outil de biais, seul moyen d'atteindre à des effets modelés, d'avoir des plans en biais qui accentuent et varient le relief. Mais nos contemporains n'ont aucun souci de la variété. Ils ne la sentent pas. Dans ces chapiteaux composés de quatre rangs de feuillages, chaque rang est aussi marqué que chacun des trois autres! Cela ressemble à quelque vulgaire panier d'osier. A qui fera-t-on croire que nous sommes en progrès? Il y a des époques où le goût règne, et il y a... le temps présent. On ne remplace rien, entendez-vous? On ne répare rien! Les modernes ne sont pas plus capables de donner un double à la moindre merveille gothique qu'à celles de la nature. Encore quelques années de ce traitement du passé malade par le présent meurtrier, et notre deuil sera complet et irrémédiable. »

Rodin parle ici de ce qu'il sait. Jamais il n'a voulu imiter. Il a exclusivement recours à la nature. Pour lui, c'est la première loi d'où tout autre découle.

L'intérêt pour les monuments anciens était beaucoup moins répandu au temps de Rodin qu'il ne l'est aujourd'hui. Il a souvent noté qu'en entrant dans une cathédrale il était seul visiteur. L'architecture du passé c'était le domaine des archéologues : ils en recherchaient les origines, les influences, précisaient des dates et l'analysaient sous tous ses aspects. Ils n'y apportaient rien de cette passion et de ce sens poétique qui enflammaient Rodin. Ils ne se préoccupaient guère des dégradations qui affectaient ces bâtiments ni des travestissements infligés par leurs restaurateurs.

Rodin protestait contre la substitution de copies aux œuvres originales — qui, disait-il, n'ont pas plus de valeur que les copies de meubles anciens fabriqués au Faubourg-Saint-Antoine. « Un art qui a la vie ne restaure pas les œuvres du passé, il les continue. » Sa voix restait solitaire. Son langage n'était pas entendu. Il ne le fut que plus tard et ce n'est qu'à une époque toute récente que l'on a renoncé — après de vives disputes — aux falsifications de l'architecture et de la statuaire. Là encore, il fut un précurseur.

Si peu lettré, Rodin avait un penchant pour la littérature, et même pour sa littérature. Plus il vieillissait, plus il éprouvait le besoin de consigner les « pensées » qui lui traversaient la tête. Il les notait sur des bouts de papier, en phrases inconsistantes et inachevées, ou bien il les dictait à un secrétaire. L'une des préoccupations des dernières années de sa vie fut de faire publier par un grand éditeur, un recueil intitulé *Pensées*. Mais sa mémoire faiblissait, et son esprit devenait trop confus pour qu'un tel projet pût prendre corps.

L'un de ses secrétaires fut le poète Charles Morice. Curieux choix. Charles Morice était l'ami de Villiers de l'Isle-Adam, de Mallarmé et de Verlaine. Intimement mêlé au mouvement symboliste, il en fut le théoricien. Il décrétait notamment que le symbolisme devait avoir un langage « qui n'ait rien de commun presque avec la langue usuelle des rues ou des journaux ». Ce n'était pas là une bien bonne disposition d'esprit pour mettre au point les notations — justes mais désordonnées — de son patron.

Comme la plupart de ceux qui approchaient Rodin, il avait pour l'artiste une admiration sans borne. Il fut chargé de mettre en œuvre *les Cathédrales*. Le livre fut repris cent fois. Morice s'efforçait de lui donner une forme littéraire. Et Rodin n'en était jamais satisfait. Il ajoutait des fragments qui n'étaient que des redites. Il accusait Morice de supprimer les passages qu'il trouvait, lui, les plus beaux et une fois ses manuscrits émondés, et décorés de mots rares, il disait ne pas reconnaître sa pensée.

Il lui fallait en effet peu de mots, même mal ajustés, pour communiquer ses impressions et témoigner de sa clairvoyance; mais ses notes avec leurs fautes de syntaxe et certaines puérilités qui auraient trop prêté à sourire, ne pouvaient certainement pas, sans retouches, faire un livre.

Rodin trouve alors tout naturel de prendre comme « nègres » littéraires des académiciens ou de futurs académiciens. Pour revoir son manuscrit des *Cathédrales* il s'adresse à deux écrivains de ses amis : Gabriel Hanotaux et Louis Gillet. Au vrai, c'est celui-ci qui fit le travail. Il était lié avec Rodin, allait le voir chaque semaine à l'hôtel Biron et déjeunait avec lui dans un restaurant de la rue de Grenelle. Pour réviser ses notes, nul n'était mieux qualifié que ce savant et sensible exégète de l'architecture médiévale. Et, comme il avait beaucoup de goût pour la fraîcheur spontanée des propos de Rodin, il se garda bien d'en corrompre, par des interventions trop personnelles, le savoureux parfum.

Il habitait à ce moment-là l'abbaye de Châalis, dont il était le conservateur. Rodin vint passer plusieurs journées avec lui. Nous lisons dans l'une de ses lettres adressées à son ami Romain Rolland : « Je suis pour le moment le secrétaire de Rodin. Je mets au net des manuscrits pleins de choses divines. Cet homme écrit comme il dessine : c'est la poésie même. Ce ne sont que des notes, des ébauches, mais à rendre jalouses toutes les Noailles et les d'Houville : la grâce d'un tapis de fleurs de Firdousi[34]. »

La pauvre petite fleur des champs

Rodin est devenu un seigneur. Il reçoit la haute société. En 1901, il a été nommé président du jury du Salon de la Société nationale. On peut s'en étonner. Pourquoi cette attirance pour les salons où sont ramassées tant de médiocrités, et qu'il avalise de son nom? Mais il sait ce qu'il fait. Selon Renoir, qui parlait en connaissance de cause, « il y a dans Paris à peine quinze amateurs capables d'aimer un peintre sans le Salon ». Combien sont-ils qui sauraient apprécier un sculpteur dont la réputation n'aurait pas été consacrée par le Salon?

Si naïf en d'autres matières, Rodin avait une conception réaliste de sa carrière d'artiste. Il a toujours constaté qu'un Salon — quels que soient ses immenses défauts — est le seul moyen de s'affirmer. A quoi bon jouer le mépris, alors qu'il s'agit de convaincre, d'amener à la compréhension un public incompréhensif? Les impressionnistes, en se refusant à y exposer, n'ont-ils pas coupé les ponts qui pouvaient les relier au monde des arts? N'ont-ils pas ainsi retardé la prise en considération qui leur était due?

Le choix des moyens n'est pas l'essentiel pour manifester son intransigeance. Ce qui compte c'est que Rodin ne se reniera jamais, qu'il n'acceptera jamais la moindre concession lorsqu'il s'agit de son art. Il est arrivé chez les officiels par la porte étroite — une porte qui lui fut souvent claquée au nez. Il s'est présenté chapeau bas; mais, l'esprit libre, fidèle à soi, intransigeant même sur le détail, et il les a obligés à mettre chapeau bas.

Le succès n'a pas laissé de modifier son comportement. Qu'est devenu ce garçon taciturne, gauche et solitaire qu'il fut jusqu'à la cinquantaine? Il parcourt avec aisance, et comme une chose toute naturelle, la voie des honneurs. Des gens importants tiennent à lui être présentés. Il est entouré d'une petite cour où les élèves, les praticiens, les secrétaires tiennent leur rang à côté des femmes du monde. Sa timidité hésitante, sa difficulté à parler d'autre chose que de son métier le servent. Il s'entoure de mystère. Et l'on respecte les silences du génie qui ne se disperse pas en propos futiles.

Sa carrure, son regard lourd, animé parfois d'une flamme aiguë, sa barbe jupitérienne, la ligne aristocratique de son profil, tout cela compose un personnage qui ne passe pas inaperçu. Qu'il soit à l'atelier revêtu de sa blouse de toile qui lui tombe jusqu'aux pieds comme une toge, ou qu'il soit habillé de la redingote impeccable et coiffé du haut-de-forme, il conserve la même dignité. Il déteste le débraillé de la bohème. Ce gros homme vieillissant est devenu coquet. Un coiffeur passe chez lui chaque matin. D'apparence, rien ne le distingue d'un financier ou d'un ministre.

Ces métamorphoses ne l'ont point rendu vaniteux. La fortune ne l'a nullement ébloui. S'il consacre plus de temps qu'autrefois aux relations extérieures, si les femmes s'intéressent au maître — et il le leur rend bien! — dont les œuvres audacieuses les font tressaillir, il reste à l'atelier le travailleur qu'il fut dans sa jeunesse. Et il sait que maintenant tout ce qui est revêtu de sa signature doit être admiré d'office.

Restait un point noir : la présence de Rose Beuret. La pauvre femme, elle, n'a pas changé. C'est la même paysanne sans grâce, le visage borné, d'où quelques charmes de jeunesse se sont depuis

DANSEUSE CAMBODGIENNE

M.R
4440

longtemps enfuis. Elle n'a jamais rien compris à l'œuvre de son ami, et sans doute n'a-t-elle jamais tenté de comprendre pourquoi il apporte tant de passion à son singulier métier. Il lui a suffi d'être la « petite ménagère » qui vit modestement dans son sillage et qui le sert avec un dévouement que ses exigences n'ont jamais lassé. Rodin ne la présente à personne. Déjà, au temps où il travaillait à Sèvres, ses amis s'étonnaient qu'elle vînt le chercher vers le soir et qu'il lui donnât rendez-vous sur la route ou dans le parc de Saint-Cloud comme s'il avait peur de la montrer.

A présent Rodin est riche, répandu, adulé, et l'antagonisme s'accuse. La société qu'il fréquente ne s'offusque certes point des liaisons illégitimes. Brillantes, il est de bon ton qu'elles soient tapageuses. Sinon, elles doivent rester clandestines.

Rose a un air de chien battu que tout à coup la colère enflamme. Sa jalousie la torture de plus en plus. Rodin s'absente sans lui dire où il va. Un jour elle l'a fait suivre. C'était bien tombé : il prenait le train à la gare Montparnasse pour revoir une fois encore la cathédrale de Chartres!... Elle en fut toute heureuse.

Si Rodin ne fait pas étalage de ses maîtresses, celles-ci sont moins discrètes. Une légende court Paris sur ses prouesses amoureuses. Rose a maintenant le front barré par un sillon de souffrance. Elle avoue à une de ses rares confidentes qu'elle ne connaît le bonheur que les jours où « Monsieur Rodin » est malade et doit garder le lit. Alors, il ne veut recevoir personne. Elle l'entoure, lui apporte des tisanes et peut caresser son front moite. Il est à elle tout entier.

Pourquoi Rodin ne voulait-il pas régulariser une situation qui durait depuis si longtemps? Il avait pour cet être simple une reconnaissance profonde et avait gardé la mémoire de son dévouement lors des mauvais jours. Malgré ses aventures il n'avait jamais songé à l'abandonner.

Ses familiers pensaient qu'il voulait se sentir libre et sans attache, et que l'humble présence d'une maîtresse-servante attentive à le satisfaire, lui suffisait fort bien. Pas plus qu'il ne voulait rompre avec la compagne à laquelle il était sérieusement attaché, pas plus ne voulait-il d'un mariage qui lui aurait donné l'impression d'être

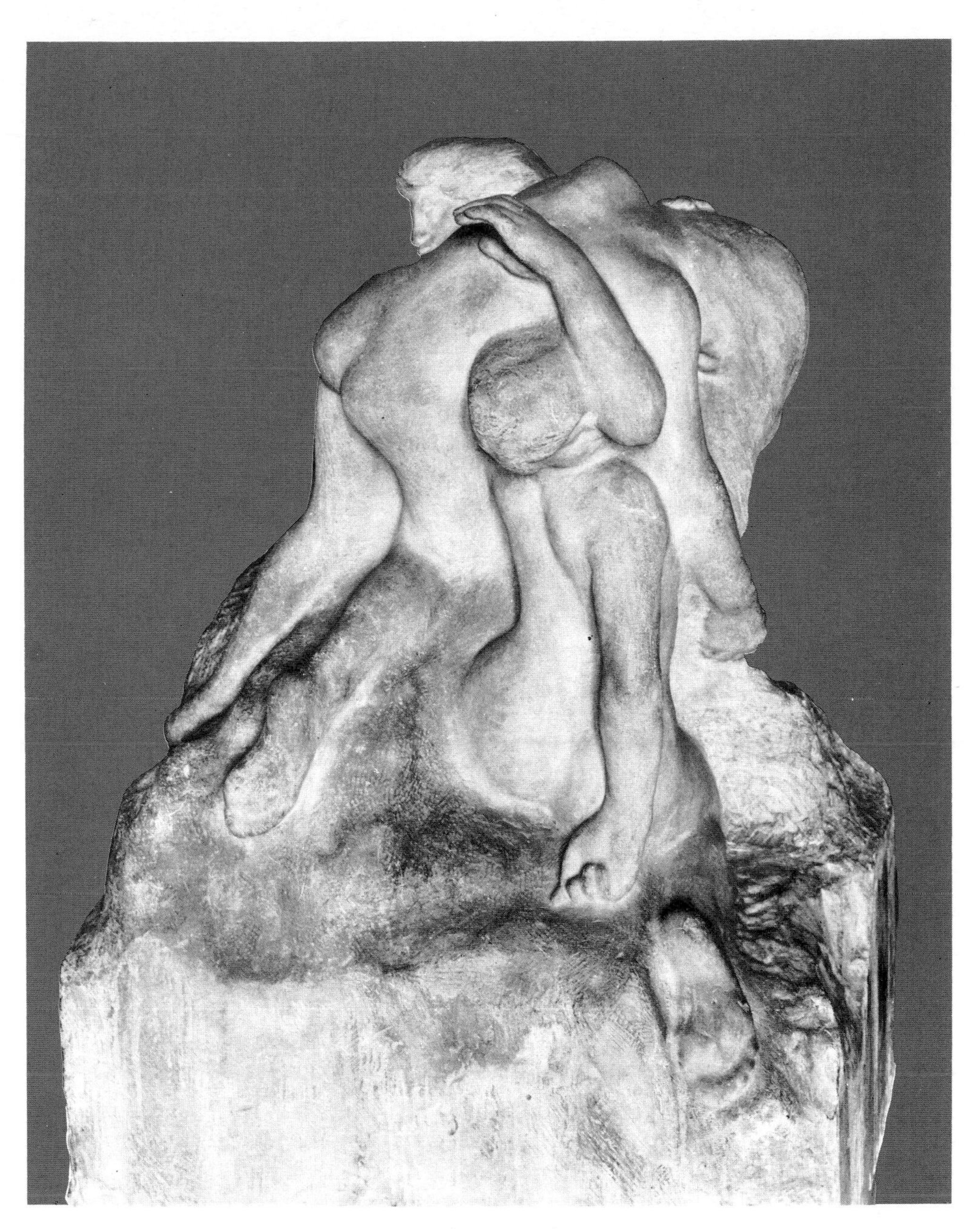

LES PREMIÈRES FUNÉRAILLES

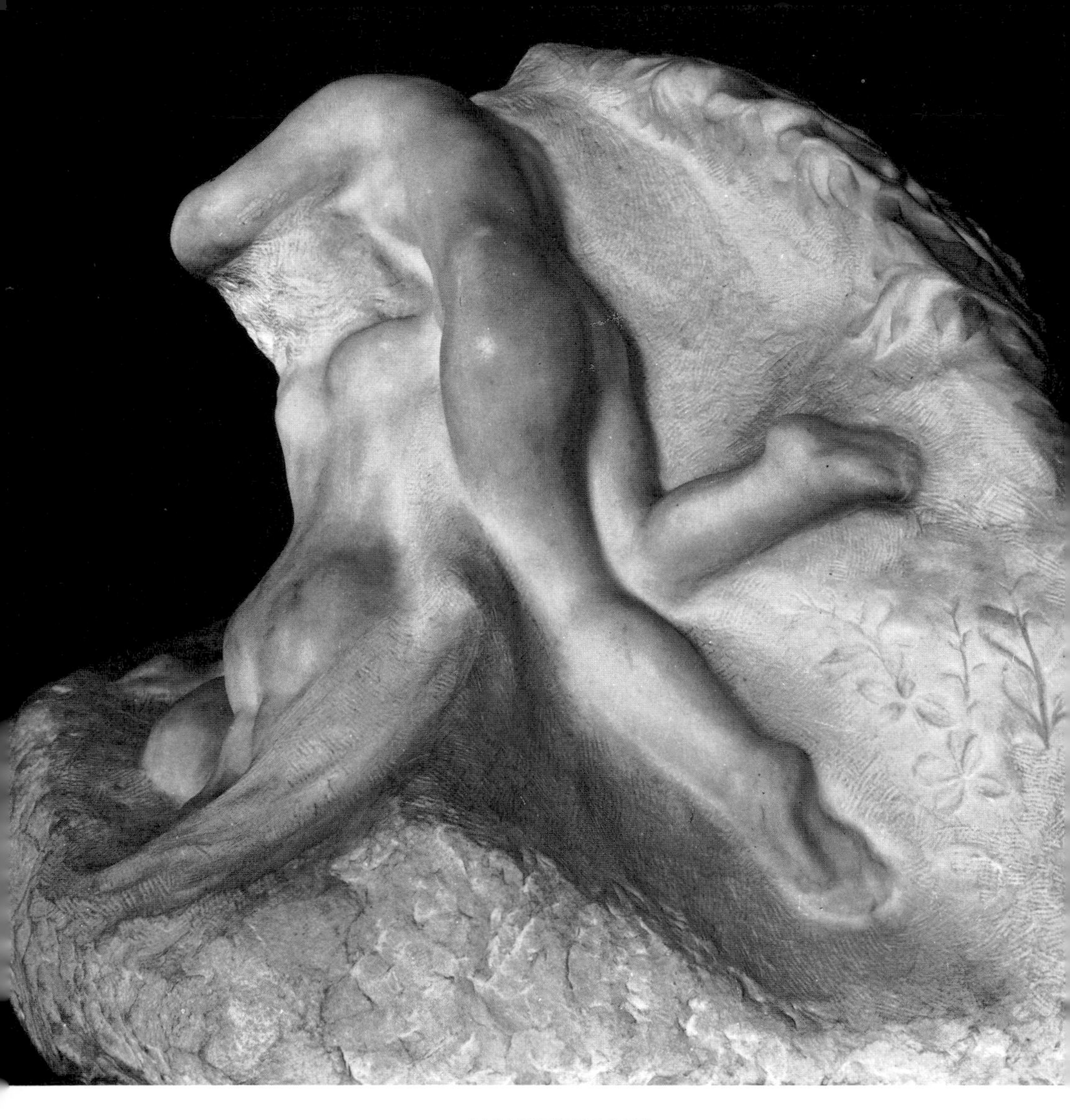

LA MORT D'ADONIS

enchaîné. Au surplus cette femme irascible savait être aussi un modèle de discrétion. Quand des amis s'offraient à insister près de celui dont elle partageait l'existence pour qu'il régularisât sa situation, elle répondait : « Il ne faut pas ennuyer M. Rodin si ça n'est pas son idée. »

Et puis il y avait Auguste Beuret, le fils, qu'il aurait fallu reconnaître. C'était le type même du propre à rien. Son père avait essayé en vain de l'employer à de menues besognes après s'être entêté à vouloir lui enseigner le dessin. Mais, faible d'esprit et surtout de volonté, il ne se plaisait que dans la société de petits voyous. Il revenait à la maison loqueteux et toujours sans un sou. Ce n'était pas un méchant garçon, et il garda toujours pour sa mère de l'affection. Son père s'était désintéressé de lui. Il redoutait surtout ses intrusions impromptues à la villa des Brillants. Sans doute ne pouvait-il supporter, lui si soigneux, le spectacle de sa malpropreté. Il occupa de vagues emplois dans la banlieue de Meudon. Il avait quarante ans lorsqu'il fut embauché chez Renault où il put rester trois années de suite. Marié à une femme épileptique, ils sombrèrent dans l'alcoolisme.

Marcelle Tirel qui fut secrétaire de Rodin durant plusieurs années, a joué à ce garçon, sans le vouloir, un bien mauvais tour en reproduisant en guise de préface à un livre d'anecdotes sur son patron et son entourage le fac-similé d'une courte lettre à elle adressée dans ce but. L'écriture est vaniteuse et enfantine. Elle est signée : *A. Beuret, Artiste Graveur, Elève et Fils de Rodin* — en grosses lettres.

Rodin eut toujours des difficultés avec ses secrétaires. Il choisissait pourtant des hommes de classe, mais son caractère devenait toujours plus impulsif et despotique.

Il avait d'abord employé un Anglais nommé Ludovici, dont le rôle fut épisodique. Puis il entra en rapport avec Rainer Maria Rilke. A distance, ce jeune poète de langue allemande, qui ne connaissait du sculpteur que les quelques œuvres qu'il avait vues au musée de Prague ou en Allemagne, avait éprouvé pour lui une telle admiration qu'il brûlait du désir de le connaître. Un éditeur allemand accepta de publier une monographie (qui fut une sorte de méditation poétique). Il arrive à Paris en 1902 et demande un rendez-vous à Rodin. Il est subjugué. Il retourne fréquemment à Meudon. Le spectacle de Rodin dans son atelier, c'est un éblouissement! L'année suivante son travail est terminé[35].

Ses relations avec le maître l'ont profondément marqué. En même temps qu'il méditait sur le génie de l'artiste, il prenait des notes pour les *Cahiers de Malte Laurids Brigge.* « L'enseignement de Rodin le jette dans une voie nouvelle[36]. » En 1905, il lui écrit d'Allemagne : « C'est le besoin de vous revoir, mon Maître, et de vivre un moment de la vie ardente de vos belles choses qui m'agite. » Rodin est ravi et flatté des témoignages d'adoration que lui adresse le poète. Il l'accueille à Meudon et lui offre de séjourner dans une petite maison qui lui appartient à côté de la villa des Brillants (celle où habitera plus tard son fils Auguste Beuret). Bien que sa connaissance du français soit bien imparfaite, il est chargé de la correspondance du maître vénéré.

Ce garçon, qui n'est que douceur et délicatesse, va bientôt éprouver la souffrance de vivre aux côtés de ce géant autoritaire et inconstant. Il accepte tout de son grand homme, considérant qu'il faut bien admettre les petitesses humaines lorsqu'elles sont le revers du génie. Mais un jour, sans raison, brusquement, Rodin le renvoie. Rilke écrit alors à son maître une lettre toute de ferveur déchirée et d'humilité : « ... Me voilà chassé comme un domestique voleur, à l'imprévu, de la petite maison où, jadis, votre amitié m'installait doucement... J'en suis profondément blessé. Mais je vous comprends. Je comprends que l'organisme sage de votre vie doit immédiatement repousser ce qui lui apparaît nuisible, pour tenir intactes ses fonctions : comme l'œil repousse l'objet qui gêne sa vue... Je ne vous verrai plus — mais, comme pour les apôtres qui restaient attristés et seuls, la vie commence pour moi, la vie qui célébrera votre haut exemple et qui trouvera en vous sa consolation, son droit et sa force. »

Les secrétaires qui suivirent eurent tous d'une façon ou d'une autre le même sort. Nous avons vu les difficultés que connut Charles Morice. Après ce fut le tour du fin latiniste Mario Meunier et du critique d'art Gustave Coquiot. Bien qu'ils voulussent faire la part du caractère bien connu de l'artiste, qu'ils estimaient et respectaient, ils eurent les uns et les autres à éprouver que les rapports quoti-

LA FRANCE

diens avec lui étaient impossibles. Ses défauts ne faisaient que s'accentuer avec l'âge. Il était devenu la proie d'aigrefins qui abusaient de sa naïveté. Les conseils l'irritaient, tout échange de vues était vain et toute remarque superflue. Seules les femmes pouvaient avoir quelque influence sur lui. Par bonheur, Judith Cladel arrivait, d'ailleurs non sans mal, à se faire entendre. Et Marcelle Tirel « modeste employée », comme elle se nommait elle-même, vint presque chaque jour à la villa des Brillants, de 1907 jusqu'à sa mort. Malgré des brouilles intermittentes, par la vivacité de ses reparties et sa faconde méridionale, elle put arriver à remplir près de lui, autant qu'il était possible, le rôle de chien de garde. Il en avait bien besoin car il était de plus en plus porté à écarter ceux qui lui voulaient du bien et à s'entourer de coquins.

A Meudon, la vie est simple. Autant par goût personnel que pour satisfaire ceux de Rose qui n'a rien renié de ses origines paysannes. Rodin se plaît à voir des volailles au poulailler et des vaches dans ses prés. Il prend le matin son bol de lait frais avant de se mettre au travail. Il ignore le confort et n'en éprouve aucun besoin. Les sièges sont rudimentaires et, les pièces étant mal chauffées, il trouve naturel, durant l'hiver, de se couvrir chez lui d'une houppelande et de rester coiffé de son béret. Mais ses collections d'œuvres d'art s'enrichissent constamment.

Il aurait mené là une existence paisible, trouvant d'indicibles joies à contempler un arbre lorsque tombe la nuit, à regarder la boucle de la Seine qui s'arrondit au bas de la colline... Mais le souvenir de Camille le torture. Il sait qu'elle vit en recluse dans les deux pièces d'un rez-de-chaussée du quai de Bourbon, meublé seulement d'un lit, de quelques chaises et de ses sculptures en plâtre. Connaissant son dénuement, et sa fierté à ne pas vouloir l'avouer, il cherche, par le truchement d'émissaires discrets, à lui faire savoir qu'il souhaite la faire bénéficier d'une aide matérielle. Mais l'idée même que Rodin pourrait lui faire un cadeau met cette fille indomptable dans un tel état de colère qu'elle profère les plus injurieuses accusations contre lui et qu'elle éconduit avec rage les visiteurs en leur intimant l'ordre de ne plus jamais franchir le seuil de sa maison. Elle est obsédée par le souvenir de celui qui s'acharne, croit-elle, à la faire souffrir. Elle éprouve pour lui de l'horreur en même temps que de l'attirance et se sent poussée à se déchirer davantage. Elle vient rôder autour de la villa de Meudon et, le soir, tapie dans les fourrés, guette son retour. Rose, de son côté, qui craint peut-être pour la vie de son ami, cherche à discerner sa présence dans les buissons, et, si elle la découvre, se répand en vitupérations contre sa rivale[37].

A la suite de cette passion bouleversante — dont il ne devait pas connaître l'atroce dénouement — une femme s'impose dans la vie de Rodin, une femme qui était tout le contraire de Camille, une femme aussi vaniteuse que sotte, qui exercera sur lui une mainmise des plus néfastes et le couvrira de ridicule.

Rodin avait fait la connaissance du marquis de Choiseul, qui possédait un château en Bretagne où il fut invité. La marquise était américaine, et elle avait conservé de son pays d'origine un accent très prononcé. Comment arriva-t-elle, en employant les moyens de séduction les plus vulgaires, des minauderies et des flatteries sans mesure, à s'introduire dans l'intimité de Rodin ?

Ses amis s'étonnaient de la voir de plus en plus à ses côtés. Elle pérorait dans son atelier quand il recevait des visites ; elle attirait les regards par sa jactance et par ses chapeaux extravagants.

Elle n'était pas laide, mais elle accentuait ses traits alourdis de fards violents. A cette époque où même l'usage de la poudre de riz était réservé aux femmes de petite vertu, ces bariolages n'étaient pas seulement « excentriques », mais provocants. Par son mari, — elle était devenue maintenant duchesse — elle faisait partie de la haute société parisienne, et était notamment en relation avec les membres les plus en vue de la colonie américaine.

Lorsqu'il rencontra celle qui devait se nommer elle-même avec complaisance sa « muse », l'activité amoureuse de Rodin était légendaire. On rencontrait à tout instant près de lui, à son atelier, ou ailleurs, des femmes d'âge divers, le plus souvent des étrangères, qu'il se contentait de présenter, si l'on peut dire, du seul nom de « mon élève ». Ces « élèves » se renouvelaient fréquemment. Selon le mot de Morice, toute femme, belle ou non, « le mettait en rut ». Les modèles qu'il embauchait savaient à quoi elles s'exposaient. Quant aux dames qui posaient pour le buste, elles connaissaient de réputation ses manières. Mais ce risque ne les effrayait pas toujours. Son pouvoir de séduction était grand. Malgré la lubricité de ses dernières années, il conservait dans les situations les plus scabreuses, une élégante déférence. Lui, autrefois si réservé, il avait fini par penser que ne pas faire de proposition à une femme serait de la goujaterie. Un jour, se trouvant seul avec une dame très comme il faut, qui portait un nom célèbre, et ne voulant pas pousser les choses, il estima nécessaire d'excuser sa faute : « Mon médecin m'a interdit... »

Son expression a changé. Celui que des écrivains nommaient le dieu Pan a maintenant une tête de faune et son regard s'allume de lueurs égrillardes.

Sem, qui amuse le Tout-Paris, en donnant une expression animale d'une curieuse ressemblance aux personnages qui en font partie, intitule sa caricature de Rodin, tout de suite répandue : *le Bouc sacré.*

Mme Bourdelle raconte que lorsqu'elle avait vingt ans, elle se trouvait avec des camarades lorsqu'elles virent Rodin quitter la maison de Bourdelle d'un pas lourd. Ayant aperçu en se retournant ces jeunes filles qui le regardaient, comme mu par un déclic, il se redressa, fit le beau et s'éloigna en marchant sur la pointe des pieds. Elle en rit encore.

Ces aventures féminines ne tiraient guère à conséquence. Telle ne fut pas, hélas! la grande aventure avec « la duchesse ». Celle-ci, avec des ruses qui n'échappaient à personne dans l'entourage du maître, jouait la comédie du grand amour, le cajolait, faisait elle-même sa toilette, l'habillait pour le faire sortir dans « son monde ». Elle lui promettait aussi d'écouler ses œuvres à prix d'or sur le marché américain. Rodin avait vieilli rapidement. Il devenait un jouet entre ses mains. Elle avait évincé ses amis les plus sincères, pour les remplacer par des gens qui ne voulaient que tirer profit de sa gloire et de sa fortune. Un jour, elle barra le chemin à Maillol, alors qu'il franchissait la porte de la villa des Brillants.

Le maître se faisait maintenant accompagner de son égérie pour visiter les cathédrales. Ils séjournèrent chez Gabriel Hanotaux dans sa villa de Roquebrune, se rendirent à Rome où ils furent reçus au Capitole avec les honneurs que l'on rend aux ministres.

La « duchesse » exultait. Elle en était devenue plus arrogante encore et se rendait insupportable aux modèles, aux praticiens, aux domestiques, à ceux qui par leur profession, étaient tenus de rester en contact avec le maître. Celui-ci perdait une partie de son temps à écrire, pour célébrer l'amour de sa muse, des poèmes en prose d'une incroyable naïveté.

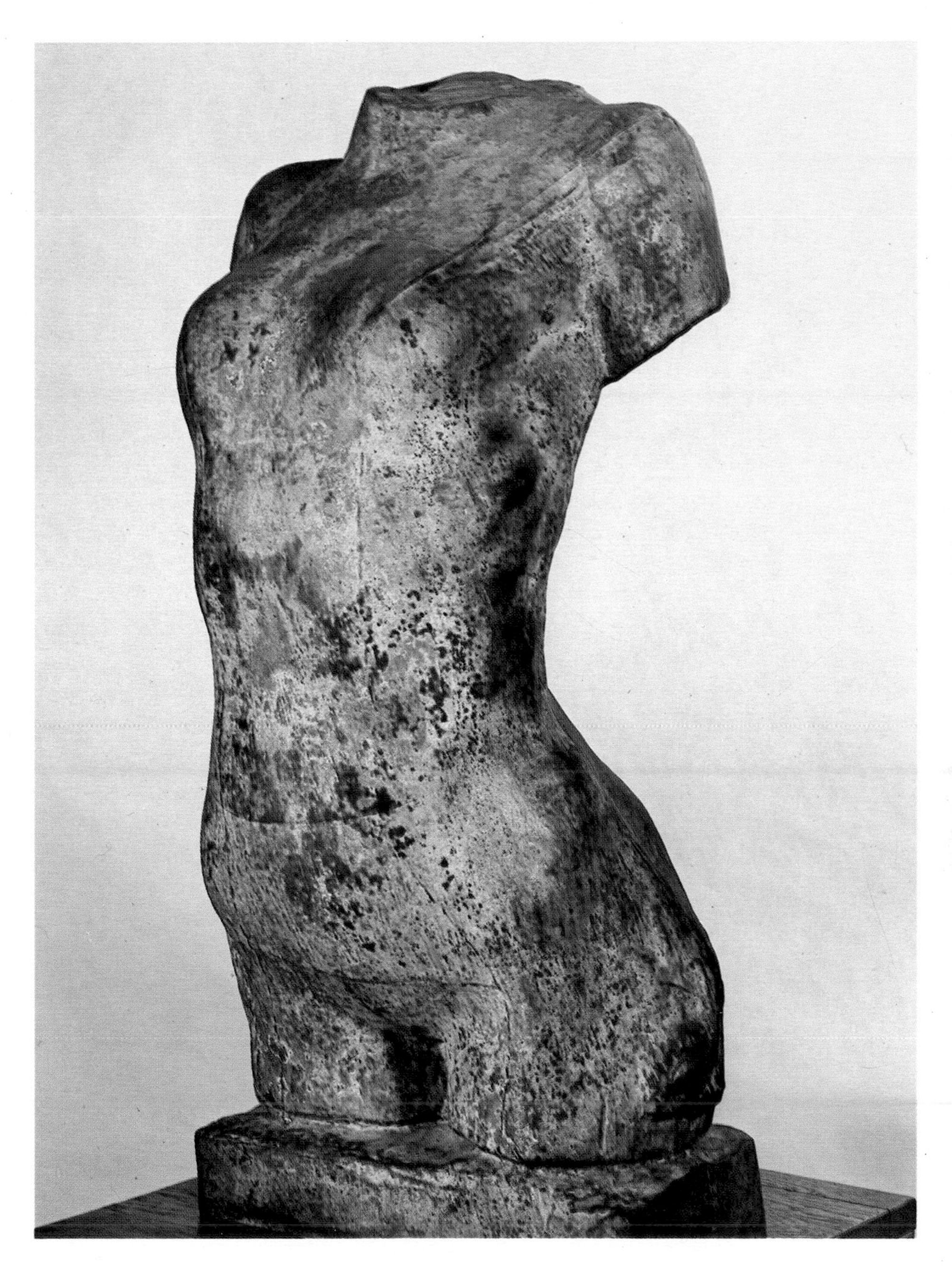

TORSE DE JEUNE FEMME

Mais la muse buvait. Le whisky, la chartreuse, le vin, tout lui était bon. Et elle cherchait à entraîner Rodin dans son vice. Le spectacle était si pénible que des amis tentèrent de braver ses colères pour le mettre en face de la réalité. Mais il coupait court à leurs propos.

On s'aperçut que des objets disparaissaient de l'hôtel Biron, et des dessins par douzaines.

De singulières tractations s'esquissaient dont le but caché apparaissait tout de même en clair : il fallait écarter Rose définitivement dans le but de capter l'héritage.

Tout d'un coup, le voile tendu devant les yeux de Rodin se déchire. Il rompt avec « la duchesse » et de façon définitive. Et les scènes, et les menaces, et les curieuses démarches de son mari pour qu'il consente encore à recevoir sa femme, se heurtent à un mur.

« J'ai gaspillé sept ans de ma vie, avoue Rodin. Cette femme a été mon mauvais génie... Elle me prenait pour un imbécile et on l'a crue... Et j'avais ma femme, pauvre petite fleur des champs, que j'ai failli écraser. »

Rose, ravagée de jalousie, de haine et de honte, n'espérait peut-être plus rien. Judith Cladel assista au retour à Meudon : « Il revint à Rose avec l'instinct de l'homme aux forces diminuées qui revient à la mère. Il l'avait fait prévenir qu'il rentrerait le soir, comme autrefois, à la fin de sa journée de travail. Ce fut simple et grand. Sur la route, au bout de l'allée des marronniers, elle alla attendre le vieil époux : « Bonsoir, Rose! — Bonsoir, mon ami. » Et, sans un mot de plus, lui offrant le bras, elle l'entraîna vers la maison. La vie commune reprit, avec ses joies et ses orages. »

L'hôtel Biron

L'épisode de la duchesse avait duré jusqu'en 1911. Entre-temps, l'installation de l'atelier de Rodin à l'hôtel Biron avait transformé son existence et devait avoir des répercussions sur son avenir.

L'hôtel Biron est une des plus majestueuses demeures de Paris. Construit au XVIIIe siècle par Gabriel et Aubert, il doit son nom à Louis Gontaut, duc de Biron, maréchal de France, qui le tenait de la duchesse du Maine, grande amie des Lettres, petite-fille de celui qui l'avait fait construire : un perruquier du nom de Peyrenc, subitement enrichi par Law. La propriété eut à subir bien des vicissitudes avant d'être vendue, en 1820, aux dames du Sacré-Cœur qui en firent un pensionnat de demoiselles. Elles ajoutèrent des communs dans la cour d'honneur et édifièrent plus tard sur la rue de Varenne une grande chapelle de style gothique. Après la « loi de séparation », en 1904, elles durent déguerpir et l'hôtel fut mis sous séquestre.

Le liquidateur crut faire son métier en louant — à des prix dérisoires — les locaux disponibles à qui en voulait. Il se trouva que ce

FIGURE DE FEMME À MI-CORPS

petit palais qui reposait au cœur de Paris dans le désordre végétal inextricable d'un immense jardin à l'abandon, devint un repaire de poètes et d'artistes, surtout étrangers. Isadora Duncan donnait des cours de danse dans une galerie. De Max s'était installé dans la chapelle et avait transformé la sacristie en salle de bains. Une salle de classe servait d'atelier à Matisse. Jean Cocteau nous a conté qu'il était entré là, âgé de dix-huit ans, tout à fait par hasard et avait loué une grande pièce dont les portes-fenêtres ouvraient sur le silence du jardin. « Je la payais, par an, le prix qu'on demande par mois d'une chambre d'hôtel borgne... Le soir, de mes fenêtres, je voyais une lampe à l'angle gauche de l'hôtel, une lampe qui semblait un fanal. C'était la lampe de Rilke. »

La femme de Rilke, le sculpteur Clara Westhoff, avait été en effet l'une des premières locataires de l'hôtel Biron et son mari vint y habiter en 1908. Oubliant toute rancune, il avait deviné que Rodin serait conquis par cette demeure et l'avait invité à la visiter. Tout était pour le séduire, ces façades nobles et noblement ornées, ces grandes pièces de proportions très pures et ces masses de verdure sauvage dont on ne voyait pas la fin. Et, par chance, c'était tout proche du Dépôt des Marbres.

Quelques jours après, Rodin, sans abandonner Meudon, était locataire des pièces du rez-de-chaussée qui donnaient sur le jardin — dont deux avaient conservé leurs boiseries d'époque.

Quel cadre de vie, quel lieu de travail pour un Rodin ! Il se contente de disposer quelques meubles simples, accroche aux murs une grande toile de Carrière, fait voisiner Renoir et van Gogh, répartit ses aquarelles en grand nombre. Et partout des marbres avec lesquels le sculpteur paraît entretenir un constant dialogue. Par les portes-fenêtres aux vieilles vitres vertes, le regard plonge dans la verdure où des allées moussues ont creusé des tunnels. Tous ceux qui ont vu Rodin travailler là ont ressenti l'accord de l'homme et des choses qu'il chérissait. Dans ce nouvel atelier il prenait encore plus d'altitude.

De la villa des Brillants, il se rend « à Biron » à peu près chaque jour. (Naturellement Rose n'a pas reçu la faveur d'en franchir le

L'HÔTEL BIRON

seuil). Après la séance de travail, il aime s'asseoir sous les arbres et écouter le silence.

Mais un mauvais sort veut que soient toujours perturbé ses plaisirs. Une année ne s'est pas écoulée que des gens — on ne les nomme pas encore des promoteurs — jettent leur dévolu sur ce terrain de quarante-trois mille mètres et établissent leurs plans de lotissement. L'hôtel était considéré comme négligeable et voué à la démolition.

Avec son acharnement habituel, Judith Cladel fait le siège des ministres et gagne la partie. En 1911, l'administration des Domaines ayant donné congé à tous les occupants, elle doit recommencer à convaincre. Elle caresse le projet de transformer l'hôtel Biron en musée Rodin. Le maître est flatté, convaincu, car il craint beaucoup d'être obligé de vider les lieux. Il propose de léguer toutes ses œuvres et toutes ses collections à l'Etat. En échange, il demande à rester à l'hôtel Biron jusqu'à sa mort.

Dalimier, qui veut attacher son nom à cette fondation, décide une réunion des membres du gouvernement et des fonctionnaires à l'hôtel Biron le 25 juillet. On discute, on prend date pour une autre réunion. On n'a pas prévu que huit jours après éclaterait la guerre.

Le projet fut repris dès 1915, très appuyé par de Monzie. Rodin, toujours la proie des dames, en accueillait trop facilement dans sa riche demeure. Scènes de jalousie. Les disparitions d'objets se multipliaient. Et, plus grave, elles profitaient de sa faiblesse pour lui faire modifier son testament à leur gré.

Pourtant, en 1916, ses premières générosités envers l'Etat furent complétées par des donations : « Tous les ouvrages d'art, sans aucune exception, contenus dans les divers ateliers de Rodin, soit étant son œuvre, soit relevant de toute autre provenance artistique, tous ses écrits, manuscrits ou imprimés, inédits ou non, avec tous droits d'auteur y afférents. »

A la fin de l'année, malgré des oppositions politiques et un manifeste de protestation signé de membres de l'Institut, le projet fut ratifié par la Chambre et par le Sénat.

Depuis les dernières années du siècle, et surtout lorsque son aventure avec « la duchesse » a jeté tant de perturbations dans sa vie, sa production s'est ralentie. L'époque des grands monuments est passée. Mais les achats affluent. Il surveille toujours de près les fontes de ses sculptures, leur ciselure, leur patine. Il pousse des ébauches anciennes, fait agrandir et fondre des statues, groupe des personnages ; en bref, tout ce qui porte sa signature ayant acquis de la valeur, il exploite son intense travail antérieur. Et il accumule toujours des pages et des pages de dessins et d'aquarelles.

Les commandes de bustes suffiraient seules à assurer largement son existence. Il demande à présent quarante mille francs pour un buste. Il a compris que cette exigence authentifie son renom et qu'il y a bien des gens qui seraient prêts à payer encore davantage pour placer chez eux leur portrait exécuté par un maître capable d'obtenir de tels prix[38].

Pour modeler un buste, Rodin emploie des méthodes qui lui sont tout à fait particulières. Il ne s'agit pas pour lui de reproduire fidèlement les traits de la personne qu'il a devant lui, mais d'abord d'en

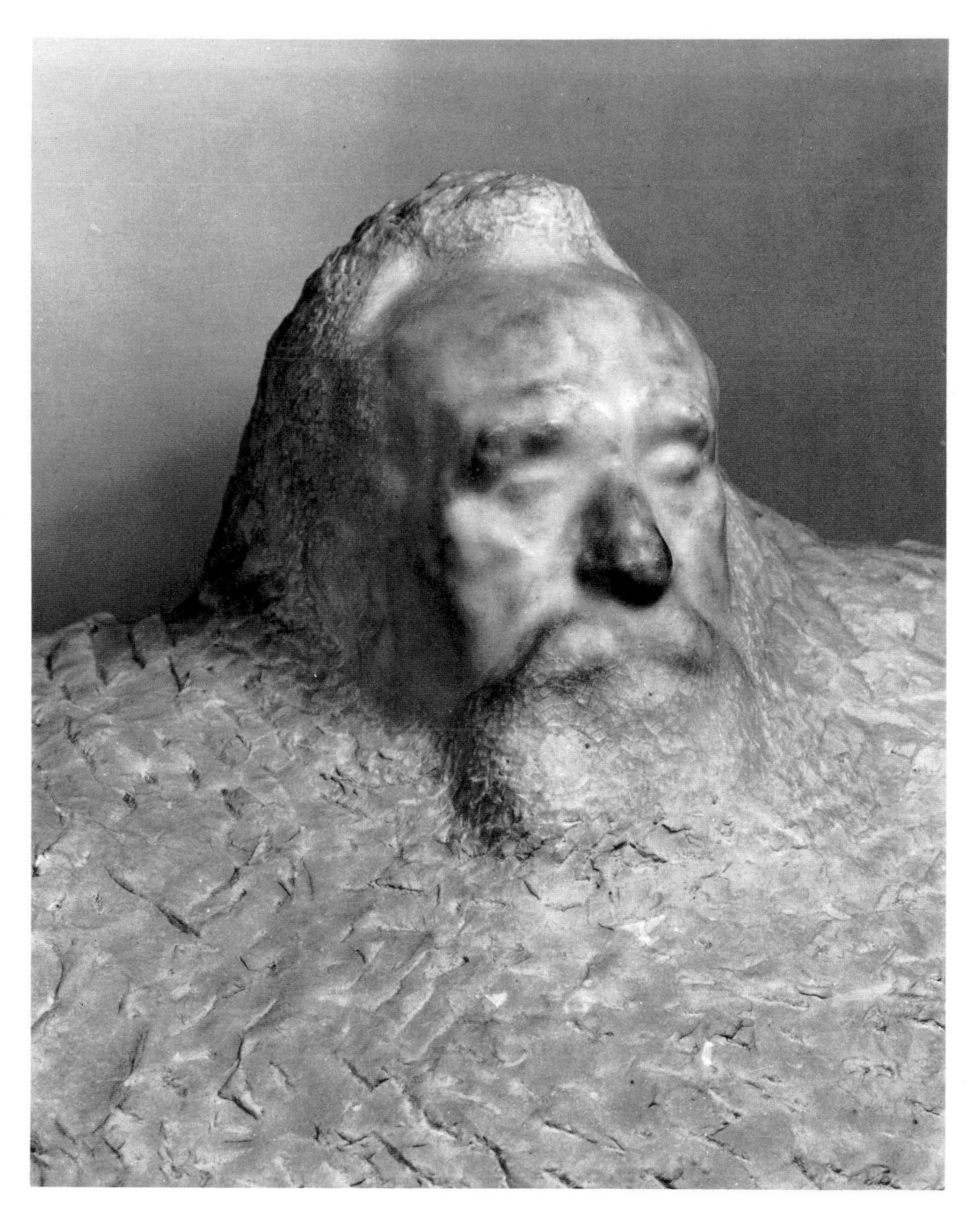

PUVIS DE CHAVANNES

définir l'ossature, depuis la boîte crânienne, vue sous tous ses angles, jusqu'à la mâchoire inférieure. Ensuite, il lui faut apporter au visage non point une expression mais la synthèse de toutes ses expressions possibles. Il doit révéler le mystère de la vie intérieure.

Rilke a fort bien vu que ses bustes de femme sont « comme une partie de son beau corps ». Nous devinons ce qui est suggéré.

Les portraits d'homme vont généralement plus loin encore dans la force expressive parce que le sculpteur est libéré de ce qui l'attache à la beauté de la plastique féminine. Il construit la tête comme il construirait un monument. Ici sa théorie des profils trouve son total accomplissement. Une tête d'homme c'est la vérité de dix, de cent, de mille de ses profils. Et c'est également la multiplication et la continuité de mille instants de vie concrétisés en une indication qui rassemble et précise mille indications.

Ces méthodes et ces moyens étaient trop inhabituels pour ne pas déplaire à ceux qui ne connaissaient que la sculpture de superficie et les portraits dits de caractère, c'est-à-dire qui exprimaient une seule caractéristique.

Il faut remarquer que la plupart de ses modèles furent mécontents de leur portrait — parce qu'ils ne se voyaient pas ainsi! Même Jean-Paul Laurens, son ami le plus cher, critiquait son buste, ce monument de dignité dont il n'est pas un centimètre qui ne vive de la vie des chefs-d'œuvre et qui, par sa magnificence architectonique, se place au sommet de l'œuvre de Rodin. « J'eus grand plaisir à faire son buste dit-il; il me reproche amicalement de l'avoir représenté la bouche ouverte. Je lui répondis que, d'après le dessin de son crâne, il descendait très probablement des anciens Wisigoths d'Espagne et que ce type était caractérisé par la saillie de la mâchoire inférieure. Mais je ne sais s'il se rendit à la justesse de cette observation ethnographique[39]. »

Dalou, au temps de leur camaraderie, ne lui exprime nulle gratitude, pour son buste devenu célèbre, pensant que lui aurait fait mieux. Et son cher Puvis de Chavannes ne dissimule pas sa déception. « Puvis de Chavannes n'aime pas mon buste et ce fut une des amertumes de ma carrière. Il jugea que je l'avais caricaturé. Et pourtant je suis

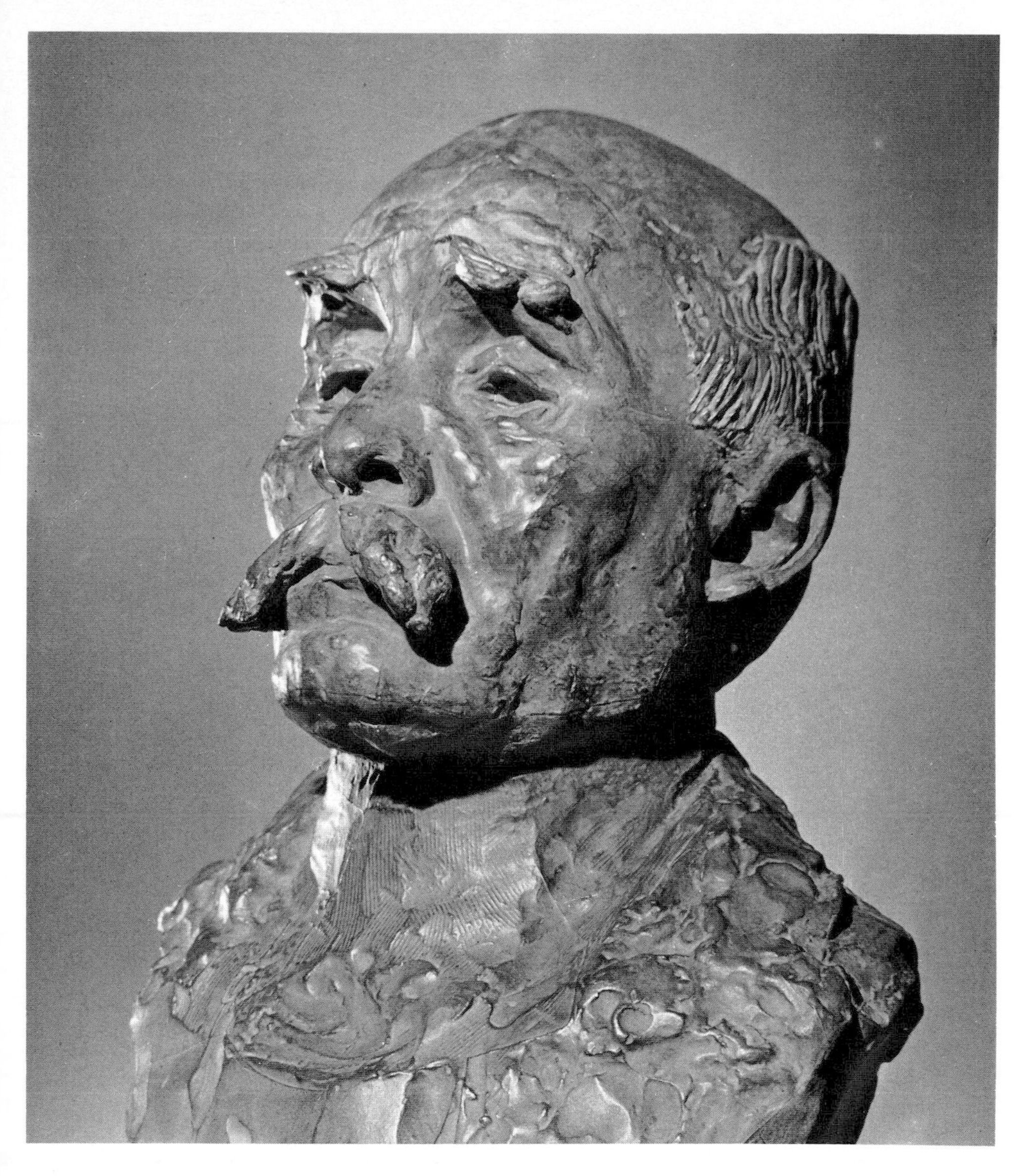

BUSTE DE CLEMENCEAU

certain d'avoir exprimé dans ma sculpture tout ce que je ressentais pour lui d'enthousiasme et de vénération[40]. »

HENRY BECQUE

Rochefort prétend avoir été caricaturé. Quant à Clemenceau, il exerce sa verve en société; il dépeint Rodin montant sur un escabeau pour faire des croquis du sommet de son crâne puis, s'accroupissant, pour mieux voir le bas de sa mâchoire, « tout cela pour me faire une tête de général mongol! ». En somme, les hommes préfèrent se voir représenter tels qu'ils voudraient être plutôt que tels qu'ils sont.

Les femmes se regardent avec plus de satisfaction. Elles sont presque toujours séduisantes. Seule la comtesse de Noailles voulut interrompre ses séances de pose avant que son buste fût terminé; mais son caractère fantasque était bien connu.

Il eut pour clientes beaucoup d'étrangères, surtout des Américaines. Loïe Fuller s'occupait de soigner sa réputation aux Etats-Unis et de faire acheter ses œuvres par des collectionneurs.

BUSTE DE MARCELIN BERTHELOT

BOURDELLE. RODIN

Durant les quinze dernières années de sa vie, la galerie de ses bustes ne cesse de s'allonger. Les femmes : Mrs. Potter-Palmer, Mme de Goloubeff, Miss Fairfax, Lady Warwick, Lady Dockville-West, sans parler du buste de la duchesse de Choiseul — un terrible document psychologique. Des écrivains et des artistes : Henry Becque, Bernard Shaw, Gustave Mahler, Renée Vivien, Marcelin Berthelot, Gustave Geffroy, Falguière, Puvis de Chavannes. Des hommes politiques : Georges Leygues, Clemenceau, Clémentel. Pour Rodin il n'y avait pas de visage ingrat. Aucun de ses portraits n'est indifférent.

BOURDELLE. FIGURES HURLANTES

Par choc en retour, si ses bustes n'étaient pas toujours appréciés par leurs modèles, lui-même ne s'est pas toujours montré satisfait de ses portraitistes. Lorsque Bourdelle exécuta cette puissante sculpture où il voulut en faire, comme Michel-Ange de Moïse, une sorte de surhomme, certains parlèrent de caricature. La dédicace était pourtant un hommage à sa maîtrise : « *A Rodin, ces profils rassemblés.* » Rodin ne crut certainement pas à des intentions malicieuses; mais il n'aimait guère que ses élèves fissent autre chose que du Rodin. Il se montra froid et refusa de continuer à poser comme Bourdelle le lui demandait.

Etait-il chagriné de voir que ses élèves, malgré leur admiration, ne suivaient pas la voie qu'il avait tracée? Lorsque Bourdelle lui montre sa *Tête d'Apollon*, il s'exclame : « Ah! Bourdelle, vous me quittez! »

S'il avait connu l'évolution postérieure de ceux qui fréquentaient son atelier que n'aurait-il pas dit ! Maillol, ses formes simples, pleines et lisses, où tout est stabilité. Pompon, son ancien praticien, sculpteur personnel tardif, dont l'esthétique sera exactement contraire à la sienne. Et celui qui fut le collaborateur de ses dernières années, Charles Despiau, fin, nerveux, maladivement sensible. Rodin avait remarqué dans une exposition le buste gracieux et tranquille de *Paulette*. C'était en 1907; Despiau était un inconnu et n'en crut pas ses yeux lorsqu'il reçut une lettre du maître l'invitant à lui rendre visite. Il devint beaucoup plus qu'un copiste servile. Rodin aimait son indépendance d'esprit et sut apprécier ses dons à leur valeur. Il lui confia des ébauches que Despiau put librement interpréter (buste de Mme Elisseief). Si l'on retrouve une certaine influence du métier de Rodin chez le dernier de nos grands bustiers, son art, plein de pudeur et de retenue, où l'on ne discerne jamais l'amorce d'un mouvement, s'oppose complètement à celui dont il a beaucoup appris mais qui, malgré les apparences, ne fut jamais son maître.

Toute une génération de sculpteurs a gravité autour de Rodin. Et aucun d'eux ne l'a continué, ne fut vraiment son disciple. Ce maître qui avait transfiguré le romantisme et le naturalisme, a laissé derrière lui une génération de « classiques » pour qui l'art est élaboration de l'esprit et qui cherchent à renouer avec une tradition très ancienne, non seulement celle de la Grèce, mais celle de l'Egypte et de l'Extrême-Orient. On le considère comme un grand parmi les plus grands. On lui présente les armes, puis on part pour d'autres terrains de conquête.

Ainsi, un homme d'une personnalité écrasante domine son époque et la génération suivante prend une voie contraire à la sienne. Tel est le destin de l'histoire des arts, de l'histoire des hommes.

Pour Rodin, l'expression ne réside pas seulement dans le visage, elle règne sur tout l'épiderme et aux profondeurs de la chair; et les

LA CATHÉDRALE

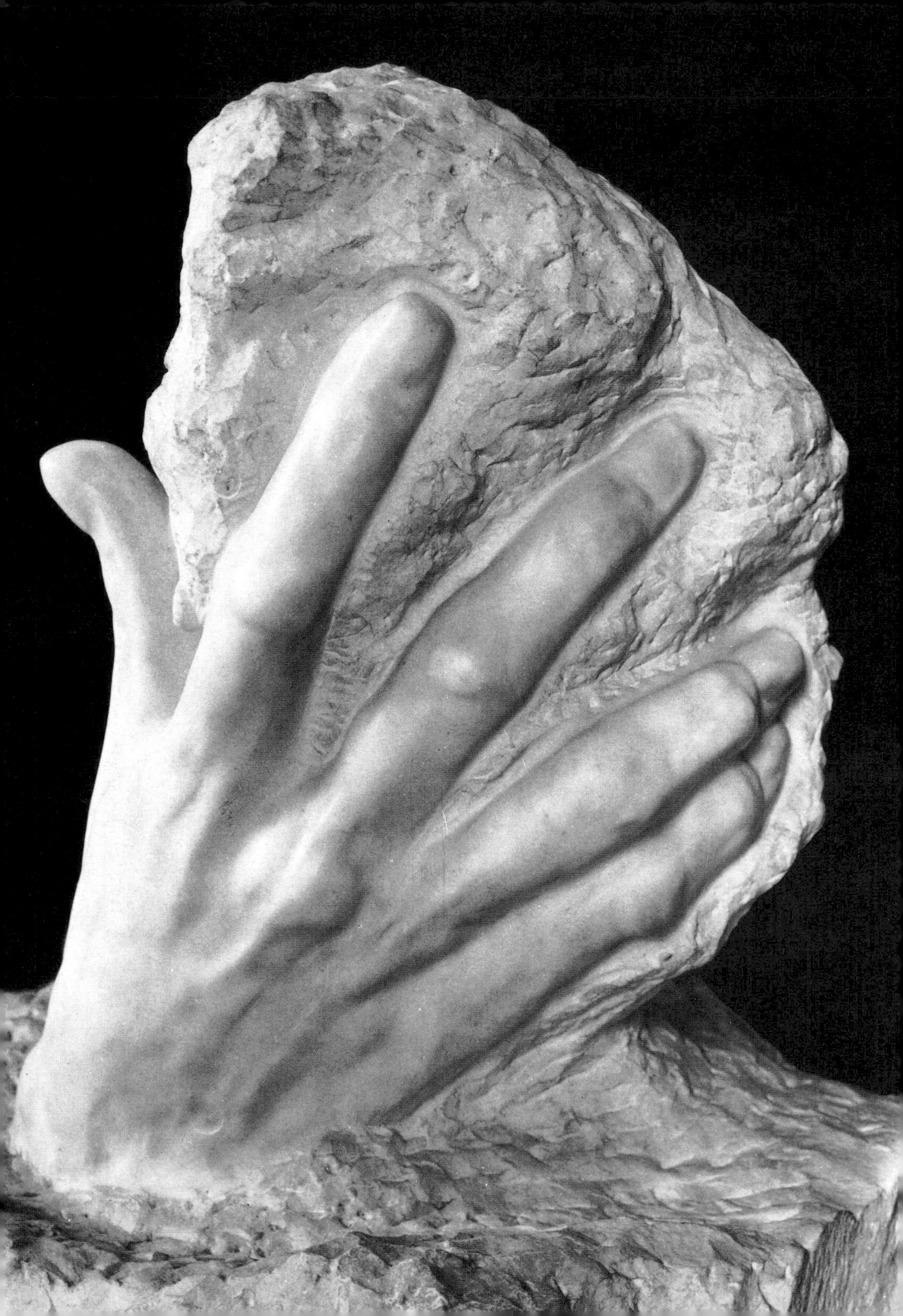

LA MAIN DE DIEU

LA MAIN DE DIEU

mains traduisent tout autant la personnalité. Celle-ci rayonne dans la douceur d'une paume, dans la crispation des phalanges, dans l'intelligence du geste. Il sait les inerver d'une telle force vitale qu'elles définissent celui à qui elles appartiennent. En chargeant les extrémités du corps d'une telle énergie, Rodin témoigne qu'il attache la même importance, dans leur valeur expressive et dans leur valeur d'art, à toutes les parties du corps. Rude noblesse des mains énormes des *Bourgeois de Calais*, poing fermé de *l'Appel aux armes*, mains ouvertes du fils prodigue, mains si douces des couples enlacés, faites pour le don de la tendresse, de la caresse et du plaisir, mains crispées, mains de fureur, mains de désolation, mains tendues et tordues pour saisir le vide. Rodin connaissait leur force révélatrice. Il en fit couler en bronze pour leur donner, en les isolant de la statue, toute leur puissance. Il traite aussi la main pour elle-même, il l'élève à la dignité de monument, aussi chargé d'émotion et de signification que s'il avait sculpté le personnage tout entier : ce sont les mains énigmatiques du *Secret*, unies à la base dans leur gangue de pierre, et dont les doigts frémissent; les mains jointes en ogive, ferventes et paisibles de *la Cathédrale*; *la Main sortant de la tombe*; *la Main du Diable*; *la Main de Dieu*, géante et irradiante d'où naît le premier couple; et ces *Mains gauches* qui sont le portrait de sa propre main.

La grande ombre

Rodin traversait une crise d'abattement : il devenait un grand enfant, mais son caractère despotique n'avait pas disparu pour autant et se manifestait parfois brutalement envers ses familiers. En public, il faisait illusion, il n'avait rien perdu de sa majesté, et ses silences étaient interprétés comme des signes de supériorité.

En janvier 1914 il décide d'aller se reposer dans le Midi avec Rose qui est souffrante aussi. Ils passent quelques semaines dans un appartement meublé à Hyères, séjournent à Menton, se rendent chez Hanotaux à Roquebrune.

Survient la guerre. Rodin a pris l'habitude de s'adresser directement aux plus hautes instances. En pleine mobilisation, il assiège Dalimier à son bureau pour lui demander de s'occuper de son musée. Puis, quand les Allemands marchent sur Paris, il lui réclame un sauf-conduit pour le Midi. Mais, au dernier moment, apprenant que Judith Cladel part pour l'Angleterre avec sa mère, il l'accompagne. Rose, désormais, ne le quitte plus.

Il retrouve Londres, la ville où il obtint ses premiers succès et où, à plusieurs reprises, il est revenu. Il ne veut cependant pas y rester et donne pour raison qu'il craint de commettre des impolitesses vis-à-vis des personnes qu'il devra rencontrer parce qu'il est incapable de prononcer les noms anglais. Justement le duc de Winchester a organisé une exposition publique de ses œuvres en son hôtel. Il ne la verra pas.

Comme Judith Cladel se rend chez sa sœur à Cheltenham, il décide de l'accompagner. Rose a bien expédié ses malles — arrivées avec le retard que l'on imagine — mais elle a oublié d'y ranger ses vêtements. Ce voyage, dans la cohue des émigrants, il n'en fallait pas tant pour la désorienter.

Ils logent dans une petite pension de famille, et, chose inattendue, Rodin semble prendre goût au calme de cette vie à l'anglaise sans imprévu. Il descend ponctuellement pour le *breakfast*, pour le *lunch*, pour le *five o'clock*, en compagnie de vieilles dames, toujours silencieux, immobile comme sa propre statue. Rose est beaucoup plus agitée et ressasse les raisons de sa jalousie à qui veut l'entendre. Paysanne et ménagère dans l'âme, elle déteste se faire servir et veut s'occuper elle-même de tout ce qui concerne « Monsieur Rodin ».

En novembre, on regagne Paris. Pas pour longtemps. Loïe Fuller, toujours d'une activité trépidante, continue, malgré la guerre, à parcourir le monde. Elle demande à Rodin de venir à Rome. Elle est en relation avec Albert Besnard, alors directeur de la Villa Médicis, et a appris qu'il devait peindre un grand portrait du pape Benoît XV. Il est question de demander un buste en marbre à Rodin.

Le ménage Rodin se rend donc vers la Ville éternelle qui est pour le sculpteur une éternelle source de joie. Besnard est un ami. Il s'occupe de lui trouver un logis où il pourra travailler. « Je me réjouis de l'avoir auprès de nous, écrit-il, cet homme dit les plus belles choses du monde sur l'art et sur la nature. » Mais il ne retrouve pas exactement l'homme qu'il a quitté : « Je crois qu'au fond de lui-même il trouve que le monde s'occupe trop de la guerre et plus assez de lui... Il a vieilli... Il m'a semblé bien silencieux et bien éloigné de ce monde où, pourtant, il cherche des appuis[41]. »

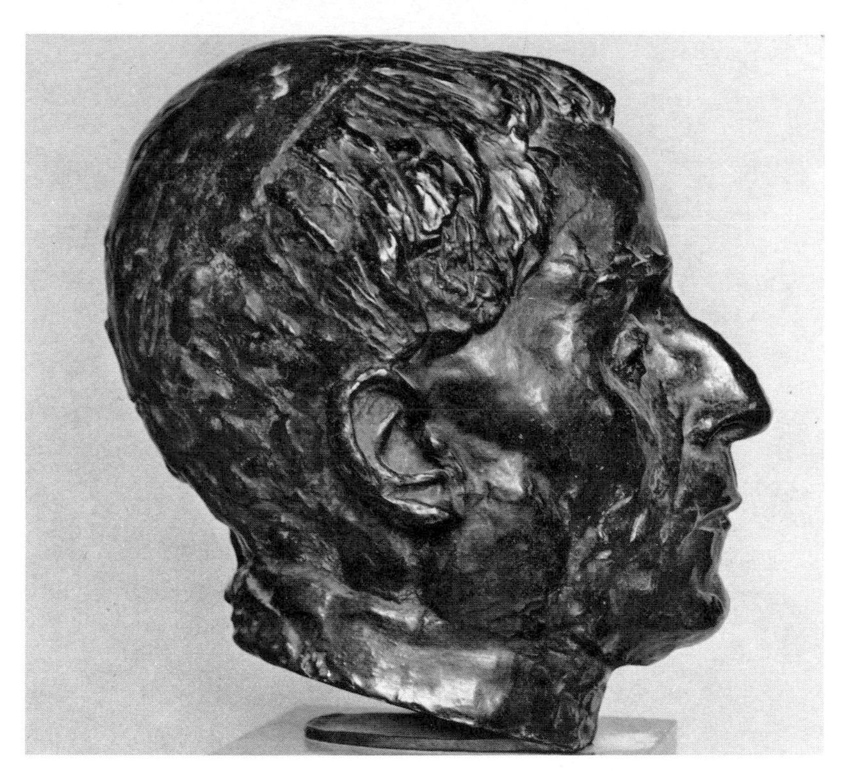

BENOIT XV

En vérité Rodin passe des heures dans les musées, dans les églises. Il s'émeut à parcourir la via Appia où il retrouve les paysages de Poussin. A l'instigation de Besnard, il a fait déposer un bronze de *l'Homme qui marche* dans la cour du palais Farnèse. Mais l'ambassadeur Barrère ne pouvait supporter la présence de cette statue sans tête. « La tête, répliquait Rodin, mais elle est partout. »

Le pape, qui avait déjà accordé quatre séances de pose à Besnard, remit l'exécution du buste à l'année suivante.

Et Rodin revient à Rome, mais seul, en 1915.

De petite taille, Benoît XV était un grand aristocrate et un fin diplomate. La guerre avait attisé les passions nationales. Comme toujours, le Vatican était accusé par les uns et les autres de ne pas prendre parti. Les Alliés lui reprochaient de ne pas avoir condamné solennellement l'invasion de la Belgique, et les Etats germaniques lui reprochaient ses sympathies pour les Alliés.

Après la seconde séance de pose, Rodin, qui n'est ni aristocrate, ni diplomate, ni pape, se vantait de lui avoir parlé de la guerre et de « lui avoir dit la vérité ». Est-ce pour cette raison ou pour une autre qu'à la séance suivante Benoît XV, qui ne comprenait pas pourquoi chercher tant de profils pour faire un buste, lui dit, après avoir regardé la tête encore informe qu'il modèle, que les devoirs de sa charge ne lui permettent plus de poser?

Au cours du dur hiver de 1916, Rodin veut se rendre chaque jour à l'hôtel Biron qui n'est pas chauffé. Il est atteint d'une congestion cérébrale. Pendant des semaines la vie semble se retirer de son visage. Un châle jeté sur ses épaules il marche à petits pas dans le jardin sauvage, entouré par les femmes jacassantes qui ont envahi la maison.

Il y a en lui un singulier mélange de méfiance et de candeur. Quelle proie, ce vieillard malade, si facile à duper et dont l'esprit s'enténèbre!

De leur tardive assiduité chacune de ces dames espère tirer profit. Elles n'ignorent point que ni sa compagne, ni son fils ne portent son nom. Les donations imprévues, les testaments déchirés, repris au bénéfice de l'une ou de l'autre, déposés chez le notaire, puis retirés, les projets de mariage faits et défaits composent un tissu d'histoires d'autant plus pénibles que l'artiste traverse des périodes où il perd toute lucidité. Par bonheur, il y a des jalousies, des rivalités, des disputes de chiffonnières qui permettent d'éviter le pire.

Mais on constate des fuites à l'hôtel Biron. Le destin du futur musée n'est pas encore légalement fixé, et il n'y a pas de surveillance.

Aux objurgations qui lui sont faites par ses familiers, Rodin oppose son impassibilité — peut-être une réelle indifférence — et se mure dans ses silences.

La situation n'est pas moins pénible à Meudon. Plus exaspérée que jamais par les bruits qui lui sont rapportés au sujet des « créatures » qui entourent son ami, le corps amenuisé, les yeux enfiévrés, la pauvre Rose semble parfois tomber dans la démence. Pourtant, quand ils sont tous les deux seuls, elle s'assied contre lui ; ils restent longuement blottis l'un contre l'autre, la nuit autour d'eux.

La présence du fils et de son épouse, dans le petit pavillon voisin, est un autre sujet de désordre. Auguste Beuret, alors, a cinquante ans. Il reste égal à lui-même. Sa femme continue à boire excessivement. Leur logis est un épouvantable taudis.

Les domestiques contribuent au désordre général. Ils sont l'objet de sollicitations généreuses de la part des personnes qui cherchent à se procurer des amis dans la place. Comme il n'y a pratiquement pas de patron, le laisser-aller de la maison est à son comble.

Rodin, qui était un homme d'ordre, aurait-il pu imaginer qu'il serait un jour le témoin et la cause même de cette anarchie ?

Le ministre Clémentel lui témoigne une amitié vigilante et favorise autant qu'il le peut la future création d'un musée Rodin; il veut en finir avec l'affaire du testament. Personne ne sait en effet, pas même le testataire, ce que contiennent les dernières dispositions. On arrive à lui faire signer une formule par laquelle il « révoque tout autre testament autre que celui au profit de Rose Beuret en reconnaissance de cinquante ans de vie commune[42] ».

On appelle Rose pour lui donner lecture du document.

« Ne serait-il pas juste, dit alors Judith Cladel à Rodin, que vous donniez légalement votre nom à Madame Rose que, depuis si longtemps vous présentez à tous comme votre femme. — Vous avez toujours de bonnes petites idées, dit Rodin. — Vos amis s'occuperont de tout. Cela se fera ici, dans votre jardin, devant quelques intimes. — Il faut que cela soit comme ça, répond Rodin. »

Il s'agit aussi de protéger les lieux. Clémentel, Dalimier, sous-secrétaire d'Etat aux Beaux-Arts, Léonce Bénédite, conservateur du musée d'Art moderne, s'y emploient. On décide de placer des gardiens à l'hôtel Biron et à la villa des Brillants. Ils ont ordre de barrer l'accès à ceux qui n'auraient pas de titre à y pénétrer. Une infirmière est chargée de veiller sur Rodin. Le plus difficile est de le protéger contre lui-même. Marcelle Tirel reçoit la mission, s'il accueille une personne que son entourage considère comme une intruse, de ne pas la lâcher d'une semelle.

Judith Cladel est chargée de faire l'inventaire des dessins de la villa des Brillants. Elle en recense trois mille quatre cents, et l'hôtel

Biron en contient une quantité au moins égale. Auguste Beuret, à qui son père confiait ses déménagements, conduit les enquêteurs dans de vieux bâtiments de Meudon, des greniers, des granges, où l'on découvre une foule de terres cuites, de moules, de maquettes, entre autres un plâtre original de *Victor Hugo*.

Quant à l'inventaire de la fortune c'est une tâche à peu près irréalisable. Rodin a un compte et un coffre au Crédit Lyonnais — dont on ne retrouve d'ailleurs pas la clé — mais il a aussi des comptes dans d'autres établissements, et il ne s'en rappelle plus le nom. Bien qu'il soit en intime relation avec le président du Conseil d'administration du Crédit Lyonnais, il n'a jamais parlé à quiconque de ses questions d'argent. D'un meuble de salon, que l'on a réussi à ouvrir, s'échappe un tas de paperasses, de photographies, et des chèques non encaissés qui datent de plus d'un an.

Le mariage a lieu le 19 janvier 1917, dans le grand salon de la villa des Brillants, fleuri pour la circonstance, en présence d'une douzaine d'invités. Rodin paraît tout heureux. « Je ne me suis jamais mieux porté, répète-t-il, et je vais me marier. » Il est vêtu d'une redingote et coiffé de son large béret. Rose est habillée avec sobriété, très digne, malgré les douleurs qui lui ravagent la poitrine.

Lorsque le maire lui pose la question rituelle, Rodin est perdu dans la contemplation d'un van Gogh. Il faut répéter la question. « Oui », dit-il doucement. A son tour, Rose répond : « Oui, monsieur, de tout mon cœur. »

Fatiguée par la cérémonie, elle se met au lit.

Après tant d'âpretés et tant de souffrances, elle n'est plus qu'une toute petite chose. Ses derniers jours, enfin, sont calmes et heureux. Elle accueille ceux qui l'approchent avec des mots de reconnaissance. Vingt-cinq jours après son mariage, elle s'éteint doucement. Le matin même elle avait embrassé son mari avant qu'il partît pour sa promenade en lui disant qu'il lui avait fait connaître le bonheur.

Il se penche longtemps, longtemps sur le grand lit où repose son corps décharné et ne cesse de regarder son visage de cire d'où ont disparu les sillons de la douleur : « Qu'elle est belle... Elle est belle comme une statue. »

Des camions arrivent à la villa des Brillants. Selon l'acte de donation toutes les œuvres d'art appartenant au maître doivent entrer à l'hôtel Biron. On déménage sous ses yeux toutes ces œuvres chargées pour lui de réminiscences. Un après-midi des employés descendent par l'escalier le grand Christ gothique qu'il a fait transporter dans sa chambre et dont il occupait presque toute la hauteur. Balbutiant, le visage en désarroi, de ses deux bras appuyés sur la croix, le vieillard tente d'arrêter la besogne des déménageurs. Survient Judith Cladel. Indignée par tant de maladresse et de cruauté, elle intime l'ordre de replacer le Christ où il a été pris.

Rodin cherche à dessiner; mais on lui a retiré plumes et crayons de crainte qu'il ne rédige un nouveau testament. On ne lui laisse même pas la glaise que ses mains cherchent à tout instant. Il caresse en vain de ses doigts d'anciennes ébauches.

Comme il demande à revoir l'hôtel Biron, on lui accorde la permission de s'y rendre une fois par quinzaine.

On a peine à comprendre ces rigueurs de l'administration envers le maître déchu qui lui a fait don de l'œuvre de toute une vie.

Son esprit, dans son isolement, est traversé par les lueurs de ses vieux rêves en lambeaux. Et ce sont des leçons de sagesse. On entend au loin les échos du canon. « La guerre, c'est notre décadence... On a prétendu échapper à la loi du travail... Les Antiques nous ont tout dit et nous ne savons plus les comprendre... La cathédrale de Reims est incendiée. Ses restaurateurs l'avaient déjà tuée. Que vont-ils faire maintenant?... On méconnaît partout la beauté... Les architectes de Rome ne voient plus leur ville. Ils feront disparaître la Voie Appienne pour y mettre leurs pauvres architectures... »

Le 12 novembre, il est pris d'un accès de fièvre. Il respire avec d'aigres sifflements. Son médecin arrive et diagnostique une congestion pulmonaire. Très calme, il repose. Le sifflement des bronches devient plus strident puis se transforme en une respiration profonde et grave. Du torse puissant s'échappe un souffle intermittent dont la sonorité d'orgue emplit la maison. Il commence alors à s'agiter dans une lutte inconsciente contre l'agonie. Ses traits se crispent et se creusent.

TOMBEAU DE RODIN

La mort le saisit le 17 novembre à quatre heures du matin.

Sa lourde tête massive repose sur les oreillers. Ses traits se sont détendus et purifiés, empreints plus que jamais de dignité et de solennité. Sa barbe blanche est étalée sur l'ample robe de laine blanche dont il a été revêtu. Une servante a mis à son côté, dans une coupe, une branche de buis bénit. Des parentes ont glissé dans ses doigts un petit crucifix. Il ressemble à un de ces gisants que les artistes du Moyen Age représentaient sur leurs tombeaux.

La France était en guerre. Il n'y eut pas de funérailles nationales. Mais un voile tricolore recouvrit son cercueil.

Le corps fut déposé au fond du jardin, en haut des marches de la façade du château d'Issy qu'il avait sauvé de la destruction. *La Grande Ombre* dominait le catafalque. Après les insipides discours ministériels le cercueil fut descendu, au pied des larges marches de pierre, dans le caveau où reposait sa femme. Il restait uni dans la mort à celle qui n'avait été que Mlle Rose Beuret durant son existence et qui portait dans son tombeau le nom d'Auguste Rodin.

La gloire posthume

Presque jusqu'à la fin de sa vie l'art de Rodin fut âprement discuté. Mais le temps fit son œuvre. Ce qui avait paru scandaleux s'estompa peu à peu pour ne plus laisser paraître que le rayonnement du génie. Il n'est pas d'artiste du XXe siècle qui se soit imposé plus totalement, ni avec plus de force.

Trois musées lui sont consacrés — privilège dont aucun artiste au monde ne bénéficie.

Nous avons vu que le musée de l'hôtel Biron fut fondé par une loi promulguée le 22 décembre 1916, neuf mois avant la mort de Rodin, pour recevoir les sculptures, les dessins et les collections personnelles qu'il avait légués à l'Etat. Ses conservateurs s'appliquèrent à remettre en état la belle demeure, la chapelle et le jardin pour servir d'écrin aux œuvres du maître.

Le musée de la villa des Brillants, à Meudon, est celui où nous sentons le plus vivement la présence de Rodin, non seulement parce qu'il vécut là les vingt dernières années de sa vie, mais parce qu'y sont rassemblés des ébauches, des moules, des plâtres, des maquettes, des études fragmentaires qui racontent l'élaboration de ses travaux et nous le montrent à l'ouvrage. Rien n'est plus curieux que les multiples états successifs de ses grands monuments qui nous font assister au processus de leur création. Grâce à la munificence d'une Américaine, Mme Mastbaum, un musée vaste et clair put être construit en 1930, près de son tombeau.

Quelques années auparavant, M. Jules E. Mastbaum avait résolu de fonder un musée Rodin à Philadelphie dont la façade reproduit celle du château d'Issy à Meudon. Les œuvres les plus représentatives du maître au cours de sa carrière y figurent : quatre-vingt-dix bronzes et marbres, trente-neuf plâtres et terres cuites ainsi qu'un grand nombre de dessins. Ce musée fut ouvert en 1929.

Références

Table des illustrations

Index

Références

[1] Le prolongement de la rue de l'Arbalète, dans le cul-de-sac des Patriarches en 1928, est à l'origine de son nouvel aménagement. La maison natale de Rodin était située près de l'école de Pharmacie, très vétuste, et du jardin des Apothicaires, entre la rue Mouffetard et la rue Neuve-Sainte-Geneviève, aujourd'hui rue Lhomond.
[2] Carpeaux, qui devait mourir en 1875, ne connut pas autrement Rodin.
[3] Dujardin-Beaumetz - Entretiens avec Rodin.
[4] Il gagne cinq francs par jour ce qui est alors le salaire maximum d'un bon ouvrier.
[5] Un modèle.
[6] Elle est présentée sous le titre : *le Vaincu* en hommage aux soldats français de 1870.
[7] Au 268 rue Saint-Jacques, puis au 39 rue du faubourg Saint-Jacques, dans un immeuble de l'Assistance Publique, aujourd'hui démoli.
[8] Devenue, en 1900, rue Falguière.
[9] Dujardin-Beaumetz - Entretiens avec Rodin.
[10] Il était destiné au rond-point de la Défense.
[11] Elle est placée dans la dernière niche à gauche de la façade de l'Hôtel de Ville.
[12] Selon sa généreuse habitude, Rodin a remercié son bienfaiteur en exécutant son buste.
[13] Sur ce terrain la gare et l'hôtel d'Orsay seront reconstruits en 1898.
[14] Ses maquettes des *Bourgeois de Calais* sont exposées au musée de la villa des Brillants. Elles témoignent des multiples tâtonnements de l'auteur avant d'arriver à la maquette définitive.
[15] Notons qu'il faudra attendre quarante et un ans avant de voir ériger le *Balzac* sur une place publique.
[16] Dujardin-Beaumetz - Entretiens avec Rodin.
[17] Paul Gsell - Entretiens avec Rodin.
[18] Dujardin-Beaumetz - Entretiens avec Rodin.
[19] Dujardin-Beaumetz - Entretiens avec Rodin.
[20] Rapporté par Judith Cladel.
[21] Il ne sera jamais exécuté.
[22] Rodin. Les Cathédrales.
[23] Exposition Camille Claudel. 1951.
[24] Paul Claudel - L'œil écoute.
[25] *Le Voltaire*, 23 février 1892.
[26] Une exposition a été organisée en 1950 au musée Rodin, par Mme Cécile Goldscheider sur le thème « Balzac et Rodin » où figuraient les plus intéressants documents.
[27] C'est le profil du buste qu'il a exécuté auparavant.
[28] Rapporté par Judith Cladel.
[29] *Gil Blas* - 30 septembre 1896.
[30] Ce majestueux portique constitue l'entrée du musée construit en 1931 grâce à la générosité d'une Américaine, Mme Mastbaum, et au talent de l'architecte Henri Favier.

[31] Les collections de Rodin furent estimées à sa mort par les experts à 4 millions de francs (1917).
[32] *Les cathédrales de France.*
[33] L'édition originale, illustrée de dessins de Rodin, parut en 1914 (Ed. Armand Colin). Le texte a été repris dans une édition courante (1921).
[34] *Correspondance entre Louis Gillet et Romain Rolland* - Lettre du 31 décembre 1912.
[35] L'ouvrage sera traduit en français par Maurice Betz et publié par les éditions Emile-Paul en 1928.
[36] Bernard Halde - *R. M. Rilke.*
[37] Rapporté par Judith Cladel.
[38] Le traitement d'un président de tribunal civil était alors, selon la classe, de 6 000 à 8 500 francs par an.
[39] Paul Gsell - Entretiens avec Rodin.
[40] Paul Gsell - Entretiens avec Rodin.
[41] Albert Besnard - Sous le ciel de Rome.
[42] On trouvera plus tard une dizaine de testaments rédigés dans le même sens de la main de Rodin.

Table des illustrations

Sauf mention contraire, les photographies de cet ouvrage ont été réalisées par René-Jacques.
Nous avons pour cette réédition indiqué les numéros d'inventaire du musée Rodin d'où proviennent la plupart des œuvres reproduites dans ce volume.

Abréviations :
D : Dessin
S : Sculpture
Ph : Photographie ancienne
Gr : Gravure
P : Peinture

Index

Cette reédition a été imprimée en septembre 1994
sur les presses de Graficromo, Cordoue, Espagne
Dépôt légal : 3e trimestre 1994